Les THIBAULT 1

チボー家の人々

灰色のノート

ロジェ・マルタン・デュ・ガール

山内義雄＝訳

白水*u*ブックス

『チボー家の人々』を、親愛なる

ピエール・マルガリティス

の霊に献ず。一九一八年十月三十日衛戍(えいじゅ)病院において、死は、きみが至純にして悩める心の中に熟しつつあった逞しい作品をこぼち去った。

R・M・G

チボー家の人々1　灰色のノート　目次

一

ヴォジラール町のかど、ふたりがすでに学校の建物にそって歩きはじめていたとき、みちみちひとことも息子に話しかけずにいたチボー氏は急に立ちどまった。

「いや、アントワーヌ、そうだ、今度という今度はがまんできん！」青年は答えなかった。

学校は、もうしまっていた。日曜日、そして夜の九時だった。門番がくぐり門をほそめにあけた。

「弟はどこにいるんだ？」と、アントワーヌがどなった。相手は、目をみはった。

チボー氏は足を踏みならした。

「ビノ神父さんを呼んでもらおう」

門番は、ふたりの前に立って応接室まで行くと、ポケットから小さいろうそくを取りだし、しょくだいに火をつけた。

何分かがたった。チボー氏は、いきを切らしていたので、椅子にぐったり腰をおろしていた。彼は、歯を食いしばりながら、ふたたびつぶやいた。

「今度という今度は、そうだ、今度という今度こそは、だ！」

「ごめんくださいまし」音も立てずにはいって来たビノ神父が言った。とても小作りなので、アントワーヌの肩に手をおくには、背のびをしなければならなかった。「これはこれは若先生、いったいなにごとが起こりました？」

「弟はどこにおります？」

「ジャックさんですか？」

「朝からまだもどらんのです！」と、椅子から立ちあがったチボー氏がさけんだ。

「どこへいらしったのでしょう？」司祭は、たいしておどろいたようすも見せずに言った。

「ここです！《とめおき》になっているのですわい！」

司祭は、両手を帯の下にすべりこませた。

「ジャックさんは、《とめおき》になってはおられません」

「なんとおっしゃる？」

「ジャックさんは、きょう学校に見えませんでした」

事はむずかしくなってきた。アントワーヌは、司祭から目をはなさなかった。チボー氏は肩をゆすった。そして、司祭のほうへ、ぼてぼてした顔をふりむけた。その重いまぶたは、ほとんどかつて上げられたためしがなかった。

「ジャックはきのう、四時間の《とめおき》になったと言っていました。けさはいつもの時間に出て行きました。それから十一時ごろ、ちょうどわたしどもがみんなミサに行っていたるすに帰って来たらしいです。家には、料理係の女中しかいませんでした。やつは、四時間のかわりに八時間の《とめおき》をくったので、昼飯には帰らんと言って出て行きました」

「まったく作りごとでございますな」と、司祭は言葉に力を入れた。

「わたしは、夕方近く外出しなければなりませんでした」と、チボー氏は言葉をつづけた。「《ルヴュ・デ・ドゥ・モンド》社に彙報（いほう）の原稿をとどけに行きました。編集長に会っていたので、家へもどったのはようやく夕食の時刻でした。ところが、ジャックはもどっていません。八時半になったが、やはりもどってこない。そこで、心配になりだし、病院の宿直に当たっていたアントワーヌを呼びにやりました。そして、こうしてふたりで伺ったのです」

司祭は、何か考えているようすで唇をつまんでいた。チボー氏は、そっと目をあけると、まず司祭のほうへ、つづいて息子のほうへ、突きさすような眼差しを投げた。

「してみると、アントワーヌ？」

「お父さん」と、青年が言った。「もし計画的な家出だとすると、何かまちがいがあったのではないかという推定だけではなりたたないことになりますな」

そうした彼の態度には、人を落ちつかせるものがあった。チボー氏は、椅子を引きよせて腰をおろした。すばしこい彼の頭は、いろいろと家出先のことを考えていた。だが、あぶらぶとりでにぶくなったその顔のうえには、なんの表情もうかがわれなかった。

「してみると」と、彼はくり返した。「どうしたものだろう？」

アントワーヌは考えた。

「今夜のところは、このままですな。待つことにしましょう」

それはたしかにそうだった。だが、決然たる手を打って事をたちまち処理できないということ、そして翌々日にはブリュッセルで精神科学会議がひらかれ、自分がそこでフランス部会の司会をするように頼まれていたことを思いだしたチボー氏の顔には、サッとふんがいの色が浮かんだ。そして、椅子から立ちあがった。

「警察の手で、どこもかしこもさがさせてやるんだ！」と、彼はさけんだ。「フランスには、れっきとした警察制度がある。悪いことをしたやつは、みんなひっつかまえずにはいないのだ！」

モーニングは、腹の両側にたれていた。あごのしわは、絶えず襟（カラー）のさきふたつにつまれているので、まるで手綱を引っぱる馬とでもいったように、あごを前のほうへつき出してはがくがくやっていた。彼は、《ろくでなしめ》と、思った。《いっそ汽車にでもひかれてしまえばいい！》一瞬、万事はつごうよくかたづくように思われた。会議での演説のこととか、たぶん副議長に選ばれるであろうことなど……だが同時に、担架にのせられた息子の姿がありありと思い浮かんだ。それにつづいて、ろうそくがあかあかとともされている通夜の室の中での哀れな父親である自分の姿、それに人々の同情など。彼は気恥ずかしくなってきた。

「こうした心配で一夜を明かすなんて！」と、彼は高い声で言葉をつづけた。「つらいですな、神父さん。父親にとって、こうした一刻一刻をすごすことは、なんともつらいことですわい」

彼は、戸口のほうへ行きかけていた。司祭は、帯の下から手を抜きだした。そして、

「失礼ですが」と、目を伏せながら言った。

しょくだいの灯は、たれさがった黒い髪になかばかくされている彼のひたいと、あごのところまで三角形になって細まっていっているその陰険そうな顔とを照らしだしていた。ほんのりした赤いかげがふたつ、彼の頬のうえに浮かんでいた。

「じつは、今晩、ご令息についてのちょっとした問題をすぐお耳に入れたものかどうか、ためらっていたのでございますが――それも、きわめて最近のことでございまして――しかも、そのこと自体、きわめて残念なことでございます……それにしても、何かのお手がかりにはなるだろうかと思います……もしお急ぎでないようでしたら……」

彼のピカルディーなまりが、そのためらいを、さらに重苦しいものにさせていた。チボー氏は、なんとも答えずに自分の椅子にもどると、目をとじて、そこにどっかり腰をおろした。

「じつは」と、司祭は言葉をつづけた。「最近ご令息について、ちょっと変わった種類のあやまち……きわめて重大なあやまちを発見したのでございました……退学させると言っておおどし申しさえいたしました。もちろん、ほんのおどしにすぎません。なにかお聞きになりませんでしたか？」

「ご承知のとおり、あいつなかなかの偽善者でしてな。例によって例のごとく、口をぬぐっておりました！」

「ご令息には、なるほど重大な欠点もおありでございます。しかし、しんからお悪いのではないの

でして」と、司祭は言いなおした。「しかも今度のような場合は、まったくお気の弱さから、ほかの者に引きずられておやりになったものと考えます。ざんねんながら国立中学にしばしば見うける、危険な友だちによる感化でございまして……」

チボー氏は、不安そうな眼差しを司祭にそそいだ。

「順序を追って申しますと、じつはこうしたわけでございます。この木曜日のことでございました……」司祭は、ちょっと考えこんだ。そして、ほとんどうれしそうなちょうしで言葉をつづけた。「いや、ちがいました、おととい、金曜日のことでした、そう金曜日の午前、ちょうど自習時間のときでございました。正午少しまえ、わたくしは、いつものように、さっと部屋の中へはいりました……」彼は、アントワーヌのほうを向いて目ばたきをしてみせた。「ドアが動かないように心をくばって、急に取っ手をひねります。そして、一気にパッとそれをあけます。で、はいって行くなり、わたくしはジャックさんのほうを見ました。戸口の正面のところにおすわらせしておいたのでした。わたくしは、つかつかと前へ行って、そこにあった辞書をどけてみました！ そして、わたくしはおさえました！ みごとあやしい書物をおさえました。イタリア語から訳した小説で、著者の名は忘れましたが『岩頭の処女』(ダヌンチオの小説)という名の本でした」

「けしからん！」と、チボー氏がさけんだ。

「ジャックさんのおどおどしておいでのごようすから、まだ何かあるなと思いました。こうしたことにはなれております。食事の時間が近づきました。鐘が鳴ったとき、わたくしは自習室の監督に生徒たちを食堂につれて行かせ、あとにのこってジャックさんの机をあけてみました。本が二冊出てきました。ジャン・ジャック・ルソーの『懺悔録』、さらに言語道断なのは、いや、ごめんくださいまし、あのゾラのけがらわしい小説『ムレ神父の罪』でした」

「う、う、ろくでなしめが！」

「さて机をしめようとして、ふと、教科書の並んでいるうしろに手をやってみる気になりました。そして、そこから、灰色クロースのノートを一冊引きだしました。ちょっと見たところでは、たしかになんらあやしいものとは思われませんでした。が、なにしろそれをあけてみました。そして、初めの何ページかをさっととひとわたり読んでみました……」神父は、鋭い、優しみのない眼差しで、キッとふたりのほうをみつめた。「何から何までわかりました。わたくしは、その獲物を安全なところに保管しました。そして正午の休みのあいだに、ゆっくり調べてみました。例の書物のほうは、ていねいに製本されておりまして、背中の下のところには、Fという頭文字がついておりました。一方灰色のノートのほう、すなわち主要物件たるところのもの——証拠物件でございますな——それは、通信簿といったようなものでございました。書体はふたつともまったくちがっておりました。ひとつはジャックさんのもの、これにはJという署名があり、もひとつのほうは、誰のものともわかりませんでしたが、署名は頭文字のDになっておりました」彼は、ちょっと間をおいてから声を低めた。「手紙のちょうしといい、書き方といい、ざんねんながらこの友情の性質については、一点疑いをゆるされませんでした。じつのところ、しっかりした、長く伸びている筆跡から考えて、わたくしどもは、一時、どこかの娘さんの書いたもの、というより、むしろ女の人の書いたもののように考えました……ところが、やがて本文を調べていきますうちに、その見なれない筆跡が、ジャックさんの友人のものだということがわかりました。さいわい、それはこの学校でのジャックさんのご友人ではなく、たしかにジャックさんが中学校で友だちになられた少年のもののように思われました。わたくしは、たしかなところをつきとめようと、その日すぐ、生徒監のところへまいりました――あのキャールさんのところへ」と彼は、アントワーヌのほうをふり返りながら言った。「剛直な人物、それに寄宿舎でのなさけない経験もじゅうぶんに持っておいでのかたなのでして。たちまち相手はわかりました。Dと署名しているけしからん少年は、四年級の生徒、ジャックさんともお友だちで、フォンタナン――ダニエル・ドゥ・フォンタナンという名の少年でした」

「フォンタナン！　あれだ！」と、アントワーヌはさけんだ。「お父さん、夏、メーゾン・ラフィットの、森のそばにくる一家があるでしょう？　そうでした、この冬も、夕方家へ帰って来たとき、なんべんも、ジャックが、そのフォンタナンという子に借りた詩集を読んでいるのを見かけました」

「なんだと？　書物を貸してもらったと？　なぜわしに言わなかった？」

「たいして危険なもののようにも思われなかったからです」と、アントワーヌは、さも神父へのつらあてといったように、彼をみつめながら言った。そしてとつぜん、ちらりと通りすぎたきわめて若々しい微笑のかげが、考え深そうな彼の顔を輝かした。「ヴィクトル・ユゴーでした」と、彼は説明した。「あるいはラマルティーヌでした。ぼくは、いやおうなしに寝かせてやろうと思って、いつもランプを取りあげてやりました」

神父は、唇にしわをよせていた。そして、しかえしに出た。

「ところで、さらに重大なことは、そのフォンタナンという少年はプロテスタントなのでして」

「知っております！」と、チボー氏は、当惑したようなようすでさけんだ。

「もっとも、かなり良い生徒ではありませんでした」と神父は、公平をしめそうとして、すぐにあとからつけ加えた。「キヤールさんはこう言っておいででした。《上級の、まじめらしい生徒でした。みんなをだましていたのですな。母親というのも、りっぱなようすの人でしたが》」

「おお、母親……」と、チボー氏は言葉をはさんだ。「もっともらしいようすだけはしていても、いや、はしにも棒にもかからん連中ですわい！」

「そもそもプロテスタントのやからのもったいらしさというやつが、食わせものなんでございまして！」と、におわすように神父が言った。

「なにしろ、父親というのがいかさま師ですわい……メーゾンでは、誰もあの一家とは付き合っていません。せいぜいあいさつするのが関の山。なあ、おまえの弟もえらいお付き合いを持ったものだな！」

「ともかく、中学校で何から何まで聞いてまいりました。そして、いよいよ規則にしたがって、査問会を開く段どりになりましたところ、きのう、土曜日、朝の自習時間のはじめにあたって、ジャックさんは、とつぜんわたくしの部屋に飛びこんでみえました。文字どおり飛びこんでみえました。まっさおな顔、そして、歯をくいしばっておいででした。戸口をはいるなり、おはよう！ をさえおっしゃらずに、こうおどなりになりました。《本をぬすまれました！ 書いたものをぬすまれました！……》わたくしはまず、そんなふうにしてはいって来てはいかんとご注意申しあげました。しかし、耳もおかしになりません。いつもあれほど澄んでおいでの目が、怒りに燃えて暗く血走っておりました。《あのノートを、先生がとったんです。先生が……》と、おどなりでした。しかも」と、神父は愚直らしい微笑を浮かべながらつけ加えた。「《もしあれを読まれたら、ぼくは自殺してしまいます！》と、さえおっしゃいました。わたくしどもは、なんとかおなだめしようと思いました。ところが、何もお言わせになりません。《ノートはどこにあるんです？ 出してください！ 出してくれるまでは、何から何までぶちこわしてやるから！》そして、おとめするひまもあらばこそ、たちまちわたくしどもの机の上にあった切り子の文鎮をお取りでした――アントワーヌさん、あなた、あれをご存じでしたな、あの卒業生たちが、ピュイ・ドゥ・ドームから記念に持ってきてくれたあれですよ――そして、切込み暖炉の大理石を目がけて、力まかせにお投げつけになりました。いやなに、たいしたことではございませんが」司祭は、チボー氏が申しわけなさそうなようすをみせたのに答えて、急いで言葉をつけ加えた。「こんなつまらないことまでいちいち申しあげますのも、じつはご子息さまがどんなに興奮しておいでだったか、おわかり願いたいからのことでして。さてそのあとでは、はげしい神経性の発作をお起こしになり、ゆかの上をころがりまわっておいででした。わたくしども、やっとおつかまえして、隣の小さな暗唱室に入れ、しっかりかぎをかけました。

「おお」と、チボー氏はこぶしを高く上げながら言った。「時によって、まるでつきものがしたようになることがあります！　アントワーヌにおたずねください。なあ、ほんのちょっと気にくわんことがあると、きちがいのようにおこりだし、いやでも我を通させてやらなければならんようなことがあったじゃないか？　顔色はまっさお、首すじのあたりは血管がふくれあがって、怒りにかられて、まるで相手をしめ殺しかねないようになったことが」

「さ、そうした点では、チボー家の人間は、誰も彼もが乱暴ものですな」と、アントワーヌもみとめた。しかし、そこには、それを残念に思うといったようすはほとんど見えなかった。そこで、神父は、愛想笑いでこれにたいすべきであると考えた。

「それから一時間しまして、室からおだししようと思って行ってみますと」と、神父は言葉をつづけた。「テーブルのまえに腰をかけて、両手で頭をかかえておいででした。そして、わたくしどものほうを恐ろしい目つきでごらんでした。冷たい目をしておいででした。わびをなさるようにとおせめしましたが、なんのお答えもありません。髪をふり乱し、じっと下をみつめたまま、片いじなようすで、おとなしく室までついておいででした。わたくしは、文鎮のかけらを拾っていただきました。しかし、がんとして口をおひらきになりません。そこで今度は、御堂へおつれ申しました。そしてたっぷり一時間というもの、ただひとり、そこで主とさし向かいにさせてお置きするのがよかろうと思いました。その時間の終わりに、わたくしはおそばへ行ってひざまずきました。ちょうどそのとき、泣いておいでだったらしく思われます。が、なにしろ御堂のなかは薄暗いことです。はっきりそうとは申せません。わたくしは、低い声で、十ばかり祈禱をとなえました。それからおさとし申しました。悪友のため、たいせつなきみの純真さがあやうくされているとお聞きになったら、父上はどんなにおなげきになるだろう、といったようなことをお話ししました。ご子息は、腕を組み、ぐっと顔を上げ、目をじっと祭壇のほうへそそいで、まるでわたくしの言葉がお耳にはいらないとでもいうようでした。いつまでもいじを張っておいでなので、わたくしは、自習室へおもどりになるように申しました。ところが、夕方になるまで、そこのご自分の席に、相変わらず腕組みをしたまま、書物一冊ひらこうとせず、じっとすわっておいででした。わたくしは、わざとそれに気がつかないふりをしていました。七時になると、いつものようにお帰りでした──しかし、ついに、さよならを言いにはお見えになりませんでした。まあ、これがすっかりのお話でして」と司祭は、眼差しに興奮の色を浮かべながら言葉を結んだ。「じつは、中学校の生徒監のほうで、例のフォンタナンという子供にたいしてどういう処罰をいたしますか、それがわかってからお知らせしようと思っておりました。あきらかに、退校処分になりましょう。しかし、今晩こうしてご心配のようすを拝見しますと……」

「先生」チボー氏は、まるでいま駆けつけてきた人といったように、いきを切らしながら言葉をはさんだ。「弱りました！　申しあげるまでもないことですが、こうした本能が、これからさき、さらにどんなことをしでかすかと思うとぞっとします！……まったく弱りました」彼は考えこんだような、ほとんど低い声でこうくり返した。そして、首を前へつき出し、両手をひざの上にそろえて、じっと身動きもせずにいた。ごま塩の口ひげの下、その下唇と白い小さなあごひげとをふるわせている、ほとんど目に見えないほどなふるえさえなかったら、まぶたをとじていたことから、おそらく眠っているとでも見えただろう。

「ろくでなしめ！」彼は、とつぜんあごを前へ突きだしながらさけんだ。そして、そのとき、まつげのあいだにひらめいた鋭い眼差し、それは、人をして、うわべの無気力さを、ありのままに受けとってはまったく思いちがいであることを思わせるのにじゅうぶんだった。彼は、ふたたび目をとじた。そして、アントワーヌのほうへからだをふり向けた。青年は、すぐには返事をしなかった。彼は、ひげを手で握り（フランスの青年には若くてひげをたくわえるものが多い）まゆにしわをよせて、じっと足もとをみつめていた。

「これから病院へよって、あしたは休むと言っておきます」と、彼は言った。「そして、起きぬけに、フォンタナンという子供のところへ出かけてきいてみましょう」

「起きぬけに？」チボー氏は機械的にくり返した。彼は立ちあがった。「なにしろ今夜は夜あかしだ」と、彼はためいきをついた。そして、戸口のほうへ歩いて行った。

神父もそのあとにしたがった。しきいのところで、かっぷくのいいチボー氏は、やわらかな手を神父のほうへ差しだした。

「弱りました」彼は、目をつぶったまま
ためいきをついた。

「われらすべてをお助けくださるよう、主におすがり申しましょう」と、ビノ神父はていねいに言った。

父と子は、黙ったまま幾足か歩いた。町には人っ子ひとり見えなかった。すでに風も静まっていて、おだやかな夜だった。五月初旬のことだった。

チボー氏は、家出をした息子のことを考えていた。《おもてにいるとしても、そう寒くはないだろう》感動のため、彼の両足はがくがくしていた。彼は立ちどまって長男のほうをふり返った。アントワーヌの態度は、いささか彼を安心させてくれた。彼にはこの長男がかわいかった。この長男が自慢だった。そして今夜という今夜、弟にたいする憎悪が深まっていたことから、さらにかわいく思われていた。といって、ジャックがかわいく思われないわけではなかった。ジャックにして、彼の自負心を満足させるようなことさえしてくれたら、彼は、愛情をよびさまされたにちがいなかった。だが、ジャックのとほうもない所業、その無軌道なやりかたは、いつも彼の自尊心の最も痛いところを刺していた。

「たいしたことになってくれなければいいが！」と、彼はふきげんそうにつぶやいた。彼は、アントワーヌのそばへ寄った。そして、声のちょうしを変えて「今夜宿直をやめてくれてうれしかったよ」と言った。彼は、自分のしめそうとしている感情に気おくれしていた。一方、青年のほうでも、父親よりさらにぎこちない気持ちで、なんの返事もしなかった。

「アントワーヌ……今夜そばにいてもらえてありがたいよ」と、チボー氏は、——おそらく生まれてはじめて——息子の腕の下に自分の腕をすべりこませながらつぶやいた。

二

その日曜日、フォンタナン夫人は正午ごろ家に帰って、玄関に息子の置き手紙のあるのを見つけたのだった。「ダニエルは、ベルティエさんのところでお昼食によばれたって書いてるわ」と、彼女はジェンニーに言った。「帰って来たとき、あなた、いなかったの？」

「ダニエル？」と、四つんばいになっていたところだった。ちょうど彼女は、安楽椅子の下にもぐりこんだ小犬をつかまえようと、四つんばいになっていたところだった。彼女は、なかなか立ちあがらなかった。やがて彼女は、「いいえ」と言った。「会わなかったわ」彼女は、両手でピュスをつかまえた。そして、小犬にキスをあびせながら、自分の部屋のほうへおどりはねながら逃げて行った。

昼食の時間に、彼女はふたたびもどってきた。

「あたし頭が痛いの。御飯たべたくないわ。お部屋を暗くして寝ていたいの」

フォンタナン夫人は、彼女をベッドに寝かせ、窓掛けを引いてやった。ジェンニーは、夜具の下にもぐりこんだ。だが、どうしても眠れなかった。何時間かがすぎた。フォンタナン夫人は、日のうちに、何度となくやって来ては、ひんやりした手を彼女のひたいに載せてみた。夕方、彼女は、愛情と不安とにたえられないままに、母親の手をしっかり握った。そして、涙をこらえきれずにそれにキスした。

「あなた神経がたかぶってるのね……少し熱があるんだわ」

七時が鳴った。つづいて八時が鳴った。フォンタナン夫人は、食事をしようと息子の帰りを待っていた。ダニエルは、いままで一度も、予告なしに食事にもどらなかったためしがなかった。しかも日曜日、母と妹だけで食事をさせることなど、とてもあり得ようはずがなかった。フォンタナン夫人は、バルコニーのところにひじをついた。なごやかな晩だった。たまさか通る通行人は、天文台通りにそって歩いていた。木々の茂みには、陰が深くなっていった。街灯の光に、彼女は幾度か、ダニエルらしい人の歩いているのを見たように思った。リュクサンブール公園では、太鼓が鳴った。鉄門がしめられた。もう夜になっていた。

彼女は帽子をかぶって、ベルティィエさんのところへ駆けつけた。すると、きのうから田舎へ出かけているということだった。ダニエルはうそをついていたのだった！

フォンタナン夫人にも、そうしたうその経験があった。だが、ダニエルが、自分の息子のダニエルが、こうしてはじめてうそをつくとは！　しかも、まだ十四という年なのに！

ジェンニーは寝ていなかった。彼女はあらゆる物音に耳をすましていた。彼女は母を呼んだ。

「ダニエルは？」

「もう寝たよ。おまえが寝ていると思って、起こしたくなかったのさ」そういう彼女の声は、いつものとおりの声だった。子供に心配させてなんになろう？

夜もふけていた。フォンタナン夫人は、息子が帰って来たら聞こえるようにと、廊下のドアを細めにあけたまま、安楽椅子に腰をおろした。

夜はすっかりすぎて行った。そうして朝が来た。

七時ごろ、犬が、ほえながら立ちあがった。誰かがベルを押したのだ。フォンタナン夫人は玄関まで飛んで行った。彼女は、自分でドアをあけたいと思ったのだ。ところが、そこには、彼女の知らない、ひげをはやしたひとりの青年が立っていた……なにかまちがいでも？

アントワーヌは名のった。そして、学校へ出かけるまえに、ちょっとダニエルに会わせてほしいと言った。

「じつは……あの子は、けさお目にかかれないのでございます」

アントワーヌは、おどろいたような身ぶりをした。

「くどいようで失礼ですが……じつはお宅のご令息ときわめてご懇意にねがっているわたくしの弟が、きのうから見えなくなりました。そして、わたくしども、とても心配しているのでございます」

「見えなくおなりになりました？」彼女の手は、髪にかけた白い被頭（マンチラ）をひしと握った。彼女は、客間のドアをあけた。アントワーヌは、彼女のあとについてはいって行った。

「あなた、ダニエルも昨晩から帰らないんでございます。そして、わたくし、心配しているのでございます」彼女は首をたれた。だが、ほとんどすぐに顔をあげた。そして、「しかも、主人はいまパりにいないのでございます」と、つけ加えた。

この婦人の顔だちには、いままでアントワーヌがどこででも見たことのないような、淡白さと率直さがしめされていた。ひと晩夜明かしをした後、そして心配にとり乱しているところへこのとつぜんの訪問を受けた彼女は、青年の目の前にそのあらわのままの顔を見せたのだった。そこには、さまざまな感情が、純粋な色調といったようにつぎつぎにしめされていた。ふたりはちょっとのあいだ、互いに顔と顔を見合わせた。だが、互いにはっきり相手を見さだめたというわけではなかった。ふたりはおのおの、自分自身の考えの飛躍のあとを追っていた。

アントワーヌは、警官のような張りきりかたでとび起きたのだった。彼は、ジャックの家出を、けっして悲観的なものとは考えていなかった。そして、好奇心だけをはたらかせていたのだった。そして、相手の少年、つまり相棒である少年に毒をはかせようと思ってやって来たのだった。ところが、事は、またしてもむずかしくなりかけていた。彼は、そのことをむしろうれしくさえ思っていた。事件にびっくりすると同時に、彼の目つきはキッとなった。そして、その角型なひげの下で、彼のあご、チボー家独特のがっしりとしたあごが、強くもりもりとひきしまった。

「きのうの朝、何時にお出かけになりました?」と、彼はたずねた。

「早くでございます。ですが、しばらくしてまたもどってまいりました……」

「ははあ!　十時半と十一時のあいだあたりに?」

「だいたい」

「まったく弟とおんなじです！　ふたりつれだっての家出です」彼は、きっぱりした、ほとんどうれしそうなちょうしで結論をくだした。

ちょうどそのとき、半開きになっていたドアがぐっとあけられたと思うと、シュミーズ一枚の子供のからだが、ぱったり敷物の上にたおれた。フォンタナン夫人は、あっと声を立てた。アントワーヌは、気絶した少女をすばやくだき起こすと、両腕のなかにかかえてやった。そして、夫人に案内されるままに、少女を、部屋の中、ベッドの上まで運んで行ってやった。

「奥さん、おまかせねがいましょう。わたくしは医者でございます。つめたい水を少し。エーテルがおありでしょうか？」

ほどなくジェンニーはわれにかえった。母親は、微笑してみせてやった。だが、少女の目はきつくこわばったままだった。

「もうだいじょうぶでございます」と、アントワーヌが言った。「お寝かせしなければ」

「おわかりだね？」と、フォンタナン夫人がつぶやくように言った。そして、じっとりした子供のひたいにおかれていた夫人の手は、そっとまぶたのところまですべって行き、それをとじてやった。

ふたりは、ベッドをはさんで立ったまま、身動きもせずにいた。蒸発したエーテルが、部屋じゅうをいいにおいでみたしていた。はじめ、夫人のきゃしゃな手、伸ばした腕などの上にそそがれていたアントワーヌの眼差しは、いま、そっと夫人その人を調べていた。夫人が身をつつんでいたマンチラも、ずり落ちてしまっていた。夫人の髪はブロンドだった。だが、そこには、すでに幾すじかの銀髪がまじっていた。そして、その物腰なり、きびきびした言葉つきなり、若い女のそれを思わせながらも、夫人は四十代であるにちがいなかった。

ジェンニーは、どうやら眠りかけているようだった。目の上においた夫人の手が、つばさのような軽さで引っこめられた。ふたりはドアを細めにあけたまま、つまさき立って、部屋の外へ出た。先へ立って歩いていたフォンタナン夫人は、くるりとうしろをふり向くと、両手をまえへ差しだしながら、「ありがとうございました」と、言った。そのようすが、いかにも自然で、いかにもきりりとしていたので、アントワーヌは、その手を取りはしたものの、唇をあてる気持ちになれなかった。

「あの子はとても神経質なんでございます」と、夫人が説明した。「ピュスが鳴くので、兄だと思ってとびだしたんでございましょう。きのうの朝からかげんがわるく、ひと晩じゅう熱を出しておりました」

ふたりは腰をおろした。フォンタナン夫人は、ブラウスのなかから、きのう息子が走り書きした手紙を取りだすと、それをアントワーヌに渡した。夫人は、彼がそれを読むのをながめていた。人とつきあう場合、彼女はいつも自分の本能の導くままにまかせていた。そして、最初の瞬間から、彼女には、アントワーヌが信頼できる人のように感じられた。《こういうひたいをしている人には、けっして卑劣なことなどできるはずはない》彼女は、こんなふうに考えていた。彼の髪はかき上げられ、頬のあたりには、かなり密生した頬ひげが見られていた。したがって、こうした、ほとんど黒にちかい、褐色をしたふたつの暗いもじゃもじゃのあいだに、くぼんだ両眼と、白い角ばったひたいとで、顔全体が作られているというわけだった。彼は、手紙をたたんで夫人に返した。彼は、そこに読みとったことを考えてでもいるようだった。だが、じつは、あるひとつのことを口に出すため、その切りだし方を考えていたのだった。

「わたくしとしましては」彼は、におわせるようなちょうしで話しだした。「ふたりが逃げたということと、つぎの事実、すなわちふたりの友情……ふたりの関係が教師たちによってみつけられたということのあいだに、関係をもたせて考えなければならないと思うのですが」

「みつけられたとおっしゃいますと？」

「そうなのです。特別なノートに書かれたふたりの文通がみつけられました」

「文通ですって？」

「ふたりは、教室で手紙のやり取りをしていました。しかもそれが、どうやらきわめて特別なちょうしで書かれた手紙のようなのです」彼は、夫人のほうを見ないようにした。「その結果、あやまちをおかしたふたりは、退学処分にするといっておどされました」

「あやまちをおかした？　わたくしにはわかりません……どういうあやまちをおかしたんでございましょう！　文通しあったことがでございましょうか？」

「手紙のちょうしが、どうやらきわめて……」

「手紙のちょうし？」彼女にはわからなかった。だが、敏感な彼女は、しばらくまえから、アントワーヌの当惑の色が目に見えて濃くなっていくのに気がついていた。彼女はとつぜん首を振った。

「ま、それは問題外でございます」彼女は、不自然な、いささかふるえをおびた声できっぱり言った。いま、ふたりのあいだには、とつぜん距離ができたような感じだった。彼女は立ちあがった。「弟御さまと宅のせがれと、いっしょに家出を思いたつにいたったこと、それはありそうなことに思われます。もっともダニエルは、ついぞわたくしの前で、その……なんとおっしゃいましたか……？」

「チボーです」

「チボーさん？」彼女は、言いかけた言葉を言い終わらずに、びっくりしながらそうくり返した。「ふしぎでございます。娘は、昨晩、夢にうなされながら、はっきりそのお名まえを申しました」

「お兄さんが、弟のことを話しておいでになるのをお聞きになっていたのでしょう」

「いいえ、ダニエルはけっして……」

「では、どうしてご存じのはずがありましょう？」

「おお」と彼女は言った。「そうしたふしぎな現象は、ずいぶんあり得ることなんでございますわ！」

「現象とおっしゃいますと？」

夫人は立ちあがっていた。その顔は、真剣で、そして放心してでもいるようだった。

「思想伝達の現象でございます」

説明の仕方なり、語調なり、それがいっぷう変わっていたことから、アントワーヌは、ふしぎそうに彼女を見つめた。夫人の顔は、ただ荘重というだけでなく、何か啓示を受けたとでもいうようだった。そして、唇の上に、こうした事がらについて、他人の懐疑思想など物ともしない、信じる者の薄笑いといったようなものをただよわせていた。

沈黙がつづいた。アントワーヌは、ふとあることを思いついた。そして、探偵的な興味が目ざめはじめた。

「失礼ですが、さっき、お嬢さんが、わたくしの弟の名を口にお出しだったとおっしゃいました。そして、きのう一日、わけのわからぬ熱をお出しだったということでしたな？　お嬢さんは、ご令息から何か打ちあけ話を聞いていらしったのではありますまいか？」

「そうしたお疑いは」と、フォンタナン夫人は、寛容な表情でこれに答えた。「わたくしの子供たちのわたくしにたいする対しかたをご存じでしたら、自然に消えると思います。ふたりとも、ついぞわたくしになんの隠しだても……」ここまで言って彼女は口をつぐんだ。彼女は、ダニエルの行動がしめした反証によって、ぐっと胸をつかれていたのだった。「それに」と、彼女はすぐに、そして、いささかきりりとしたようすで、戸口のほうへ歩みながら言葉をつづけた。「もしジェンニーが目をさましておりましたら、あの子におたずねいただきましょう」

少女は目をあけていた。きゃしゃな顔が、まくらの上にくっきりと浮かびあがっていた。両頰のあたりは熱っぽかった。彼女は腕のなかに例の小さな犬をだいていた。その犬の黒い鼻づらの、夜具のふちから出ているところがおかしかった。

「ジェンニーや、チボーさんですよ。ほら、ダニエルのお友だちのお兄さま」

子供は、この見知らぬ人の上に、むさぼるような、つづいて、あやしむような眼差しを投げた。

アントワーヌはベッドに近づき、少女の手くびを握って、時計を出した。

「まだ相当速いですな」と、彼は言った。つづいて彼は聴診した。彼は、そうした職業的な動作を、十二分にもったいらしくやってのけた。

「おいくつにおなりです?」

「やがて十三でございます」

「へえ? そうはお見えになりませんな。原則として、こうした熱の上がり下がりにはいつも注意していただきましょう。もっとも、ご心配にはおよびません」彼は、少女を見ながらこう言った。そして、微笑した。それから、ベッドのそばを離れながら、いままでとちがったちょうしでこう言った。

「お嬢さん、ぼくの弟を知っておいでですか? ジャック・チボーを?」

彼女はまゆをよせた。そして知らないといったようすをした。

「ほんとうですか? 兄さんはあなたに、自分のいちばん仲良しの友だちのことを一度も話したことがありませんか?」

「一度も」と、彼女が言った。

「だって」と、フォンタナン夫人はつめよった。「思いだしてごらん、ゆうべ、わたしがあなたを起こしたとき、あなたは、ダニエルとそのお友だちのチボーさんが、道の上で追っかけられてる夢をみていたのよ。あなたははっきり、チボーという名を口に出して言ったのよ」

少女は、考えるようなようすをした。だが、最後にこう言った。

「あたし、そんな名、知らないわ」

「お嬢さん」アントワーヌはしばらく沈黙していたあとで言った。「じつは、お母さまにはそれがお思いだしになれないんです。それに、兄さんを見つけるためには、それがわからないとどうしても困るんです。ねえ、兄さんはどんな着物を着ておいででした?」

「知りません」

「では、あなたはきのうの朝、兄さんとは会いませんでしたか?」

「会いました。朝ご飯のとき。でも、そのときはまだ着物を着ていなかったの」彼女は、母親のほうをふり向いた。「兄さんの箪笥をあけて、どんな着物がなくなっているか、調べて見たらいいじゃないの」

「もうひとつ、お嬢さん、これはとてもだいじなことなんですがね。兄さんが手紙をおきに帰って見えたのは九時ですか、十時ですか、それとも十一時ですか? お母さまはおいでになかったので、そこのところをはっきりさせていただけないんです」

「あたし、知らないわ」

アントワーヌには、そうしたジェンニーの語調の中に、いささかいらいらしているところがあるように思った。

「だとすると」と、彼は、がっかりしたような身ぶりをしてみせながら言った。「なかなか見当がつきそうにありませんな！」

「あの」彼女は、アントワーヌをさえぎろうと、腕を上げながら言った。「十一時十分まえでした」

「きっかり？　たしかですか？」

「ええ」

「兄さんといっしょだったとき、あなたは時計をごらんでしたか？」

「いいえ、あたしその時間に、絵をかくためにいるので、お台所にパンのはしを取りに行ったの。だから、もし兄さんが、その時間よりまえかあとに帰って来たら、きっとドアのあく音が聞こえたろうと思いますの。そしてあたし、きっと見に行ったろうと思いますの」

「なるほど」と、彼はしばらく考えた。このうえ少女を疲れさせたところでなんになろう？　そうだ、自分の思いちがいだった。彼女は何も知らないのだ。「ところで」と、彼はふたたび医者の立場にかえって言った。「暖かにしていないといけませんよ。目をつぶって寝ているんですよ」彼は、むき出しになっていた小さな腕に掛けぶとんをかけてやりながら、微笑してみせた。「ぐっすり寝るんですよ。目がさめると、病気はちゃんとなおっているし、兄さんも帰っておいでになりますからね！」

彼女はじっとみつめた。彼は、そのとき彼女の眼差しから読みとったところのものを、けっして忘れることができなかった。そこには、あらゆる励ましにたいする完全な冷淡さ、すでにいかにも成熟しきっている内的生活、またこうした孤独の中にあってのいかにも大きな悩みとでもいったようなものがうかがわれていて、彼は、われにもあらずそれに打たれて目を伏せた。

「奥さん、おっしゃったとおりでした」客間にもどってくるなり、彼は言った。「純真そのものでいらっしゃいます。とても心配なすっておいでになります。が、なにもご存じではありません」

「純真そのものですわ」と、夫人は、夢でも見ているようにくり返した。「でも、あの子は、知っておりますのよ」

「知っていらっしゃる？」

「知っております」

「だって？　ご返事をうかがったところでは、むしろ反対に……」

「ええ、返事だけは……」と、夫人は、ゆっくり答えた。「でもわたくし、あの子のそばにおりました……わたくしには感じられました……どう説明したらいいかわかりませんが……」彼女は、腰をおろしたと思うと、ほとんどすぐに立ちあがった。彼女の顔には、はげしい悩みがうかがわれた。

「知っております。知っております。いま、わたくしにははっきりわかりました！」と、とつぜんさけんだ。「そして、わたくしにはわかっております、あの子は、その秘密を打ちあけるより、死んだほうがましだと思っております」

アントワーヌを送りだしたのち、フォンタナン夫人は、彼のすすめにしたがって中学校の生徒監キヤール氏に聞きに行くまえに、好奇心の動くままに『パリ紳士録』をひらいてみた。

チボー（オスカール・マリー）――シュヴァリエ・ドゥ・ラ・レジオン・ドヌール帯勲者。ユール県選出前代議士――育児連盟副会長――社会矯風協会創立者・会長――パリ司教管区カトリック事業組合財務委員――（七区）ユニヴェルシテ町四番地ロ号

三

それから二時間の後、生徒監の部屋をたずねはしたものの、何ひとつ返事をせず、顔をほてらせてそこを逃げだして来たフォンタナン夫人は、さて誰に相談するといったあてもなく、いっそチボー氏に会いに行こうかと考えたが、何かおぼろげな本能によって、そうしないほうがいいようにすすめられた。だが、彼女はそれをぐっとおしきった。彼女は、ときどき、彼女自身それを勇気であると取りちがえている危険にたいする好みや決断の気持ちから、そうしたことをやってのけることがあった。

おりからチボー家では、おごそかな親族会議といったようなものがひらかれていた。ビノ神父は、いち早く、ここユニヴェルシテ町に駆けつけて来ていた。それからわずかおくれて、ヴェカール神父。この人は、パリ司教猊下（げいか）の特別秘書であり、チボー氏の精神的指導者であり、この家とはきわめて親

しい間がらで、ついいましがた、電話で事件を知らされたのだった。

チボー氏は、事務机の前に席を占め、まるで裁判長とでもいったようだった。彼は、じゅうぶん寝ていなかった。そして、ただでさえ白い顔色は、いつにもましてずっと白っちゃけて見えていた。彼の秘書であり、ごま塩あたまの、それに眼鏡をかけた小男のシャール氏は、彼の左手に腰をおろしていた。アントワーヌは、考えこんだようすで、書棚にもたれて立っていた。《おばさん》までが、おりから家事時間だったにかかわらず、おなじくこの席に呼ばれていた。黒いメリノ・ラシャに肩を包み、注意深く黙りこんだ彼女は、椅子のはしにチョンと腰をおろしていた。まん中から分けられた灰色の髪は、黄いろいひたいの上にぴったりくっつき、雌鹿のようなそのひとみは、絶えずひとりの司祭から他の司祭へと移っていた。ふたりの司祭は、切込み暖炉の両側、高いもたれのついたひじかけ椅子に腰をおろしていた。

チボー氏は、アントワーヌの探索の結果を報告したあとで、目下の状態について大いに当惑している旨を申し述べた。彼には、周囲の人たちの賛成していてくれることがうれしかった。そして、心痛を説明するのに用いた自分の言葉に、自分で感動していたのだった。だが、その場に、自分の聴罪司祭の列していることが、彼をして、自分の心の再検討をさせることになった。いったい自分は、あのけしからん息子にたいして、父親としてのすべての義務を果たしたと言えるだろうか？　彼には、なんと答えていいかわからなかった。だが、彼は、くるりと考え方の向きを変えた。あの不信心者の小わっぱさえいなかったら、なにも起こらなかったにちがいないのに！

「あのフォンタナンというような小わっぱですな」と、彼は立ちあがりながらどなり出した。「ああいうやつらを、何か特別な施設に収容しないでもいいものでしょうか？　われわれの家の子供たちがみすみす悪い感化をうけるのを、ゆるしておいていいものでしょうか？」両手を背にまわし、まぶたをとじたまま、彼はテーブルのうしろを行ったり来たり歩きまわった。口に出しては言わなかったが、会議を棒にふってしまったことが、なんとしても忿懣の種だった。「わたしは、もう二十年以上も、こうした児童による犯罪の問題につくしてきました！　やれ防止連盟だ、やれパンフレットだ、やれいろいろな会議への報告だと、二十年のあいだ戦ってきました！　いや、それだけではない！」彼は、くるりと司祭たちのほうを向きなおった。「わしは、あのクルーイの少年園に特別室をつくり、わしらの子供たちとは別の社会階級に属している不良児たちの場合、特に心をこめた矯正法を受けさせることにしてはいませんでしたか？　それがどうです、まるで信じられんことですが、その特別室はいつもがらあきというわけですて！　親たちをして、子供たちをそこへ入れさせることまで、このわしにしろというのでしょうか？　わしは、あらゆる方法をつくして、こうしたわれらの事業に、文部省に関心を持たせるようにとつとめてきました。しかるに」彼はぐっと肩をすくめ、ふたたびドッカと椅子に腰をおろしながら結論をくだした。「はたして彼ら無宗教の学校を標榜しているやからは、社会的健康ということを考えているのでしょうか？」

ちょうどこのとき、小間使いがはいって来て一枚の名刺を渡した。

「なに、あの女が？」彼は、息子のほうをふり返りながら言った。「用件はなんだ？」こう小間使いにたずねた彼は、返事も待たずに「アントワーヌ、おまえ行ってみてきてくれんか!」と、言った。

「お父さん、お会いにならなければなりますまい」と、アントワーヌはちらりと名刺を見てから言った。

そして、チボー氏は、あやうくカッとなるところだった。でも彼は、すぐに自分をおさえることができた。

「フォンタナン夫人ですわい! どうしたものでしょう? たとい何者であろうと、相手が婦人だったら、礼をつくさなければなりますまいかな? しかも、それが母親である場合?……」

「なに? 母親?」と、シャール氏がつぶやいた。だが、いかにも低い声で言ったので、けっきょくひとりごとにおわってしまった。

チボー氏は言葉をつづけた。

「お通し申せ」

そして、小間使いが客を案内してくるやいなや、立ちあがって、あらたまったようすで頭をさげた。

フォンタナン夫人は、まさかこんなにおおぜいの人たちが集まっていようとは思っていなかった。彼女は、戸口のところで、それとわからないほどのためらいの色を見せたが、ひとあし《おばさん》のほうへ歩みよった。《おばさん》は、椅子から飛びあがった。そして、おどろきの目で、このプロテスタントの女をまじまじとみつめた。その目には、もはやいささかの弱ったようすも見られなかった。そして、それは、彼女をして、雌鹿というより、雌鶏ででもあるかのように思わせた。

「奥さまでいらっしゃいますか?」と、フォンタナン夫人はつぶやくように言った。

「いいえ」と、アントワーヌが、急いでさえぎった。「ドゥ・ヴェーズ嬢です。わたくしたちの家に十五年もまえから——母がなくなってからずっといてくださるかたで、わたくしや弟を育ててくださったかたなのです」

チボー氏は、男の連中を引き合わせた。

「とんだおじゃまをいたしまして」と、フォンタナン夫人が言った。彼女は、自分にそそがれている人々の眼差しをぎごちなく思いながらも、いつもと少しも変わらぬ落ちつきを見せていた。「ことによりますと、もうけさから……ご同様におなじような心配をいたしております……両家で力を合わせてやったほうがいいのではないかと思いまして。いかがなものでございましょう?」彼女は、慇懃(いんぎん)な、さびしそうな、軽い微笑とともに言った。だが、チボー氏から、おなじような眼差しを期待していた彼女の真剣な眼差しは、そこにただ、目をつぶっているひとつの仮面を見いだしたにすぎなかった。

そこで、彼女の目は、アントワーヌのほうをさがし求めた。そして、このまえのふたりの会談の終末が、ふたりのあいだに何かはっきりとは感じられない距離をおいていたにもかかわらず、彼女は、いま衝動のままに、この沈鬱な、そして誠実な顔のほうへ向いていったのだった。彼のほうでも、夫人がはいって来たとき以来、ふたりのあいだに、何かえにしとでもいったようなものの存在を感じていた。彼は、夫人のほうへ歩みよった。

「お小さいご病人はいかがです？」

チボー氏は、その言葉をさえぎった。彼の興奮は、あごを楽にしようとして、首をはげしく動かしているることによってわずかにうかがわれた。彼は、上体をフォンタナン夫人のほうへ向け、あらたまった口調で話しはじめた。

「奥さま、申しあげるまでもございませんが、このわたくしは、誰にもまして奥さまのご心痛をお察し申しております。ここにおいでのかたがたにも申したことですが、ああしたかわいそうな子供らのことを考えますと、胸がしめつけられるようでございます。しかし奥さま、あえて申しあげますと、両家力を合わせてということが、はたしてよろしいと申せましょうか？　もちろんなんとかいたさなければなりますまい。両人を見つけださなければなりますまい。しかし、捜索は別々にしたほうがよろしいのではありますまいか？　と申しますのは、何よりも、この事件を、傍若無人な新聞記者どもにかぎつけられないようにすることがだいじではありますまいか？　こう申しますと、わたくしとしての身分柄、新聞とか、世論とかを用心しているようにお取りになるかもしれません。しかし、このことを妙にお取りくださいませんよう……わたくし自身のことを思って？　とんでもない！　さいわいわたくしは、相手の党派からの攻撃などには超然としていられる人間でして。しかし、わたくしという人間を通じて、このわたくしの名を通じて、わたくしの代表しているさまざまな事業を傷つけようとするものがはたしていないと申せましょうか？　それにわたくしは、息子のことを考えますので。こういう困った事件が起こった場合、わたくしとしては、われわれの名まえと並んで、よそのお家の名のあげられることを、なんとしてでも防ぐべきではありますまいか？　わたくしとしての第一の義務は、つまり他日、人々が息子に向かって、これこれしかじかの関係――もちろん、それがまったく偶然のものであることはわかっておりますが、といって、はっきり申せばきわめて……不利な性質の関係……そうしたことを申したてたりすることのないようにしてやるべきではありますまいか？」彼は、ヴェカール神父のほうを向きながら言葉を結んだ。そして、ちょっとのあいだ、まぶたを薄めにあけながら、「みなさん、そうはお考えになりませんか？」

フォンタナン夫人の顔色がさっと変わった。彼女は、司祭たち、《おばさん》、アントワーヌを、かわるがわるながめわたした。だが、彼女はそこに、黙りこんだいくつかの顔を見たにすぎなかった。彼女はさけんだ。

「わかりました……」だが、そのままのどが詰まってしまった。彼女は勇気をだしてあとをつづけた。「わかりました、あのキヤールさんのご非難は……」彼女はふたたび口をつぐんだ。「あのキヤールさんとおっしゃるかたは、下劣な、そうです、下劣きわまるおかたです！」彼女は、にがい微笑を浮かべながら、そうさけばずにはいられなかった。

チボー氏の顔には、なんの感情も見られなかった。そして、そのだらけたような手は、ビノ神父のほうへ、さも立会人としての発言を許すとでもいったように上げられた。司祭は司祭で、まるで雑種のちんとでもいったように、喜んでこの戦いの中に飛びこんでいった。

「奥さま、失礼でございますが、ちょっとご注意させていただきます。奥さまは、ご令息にどんな重い責任がおありかをご存じなしに、キャールさんとしてもお耳に入れにくかったにちがいない証言を、おしりぞけになっておいでのように考えますが……」

フォンタナン夫人はビノ神父をじっとみつめたあとで、人間としての本能にかられるままに、今度はヴェカール神父のほうを向きなおった。彼女の上にそそがれているヴェカール神父の眼差しには、このうえもない柔和なようすが見られていた。眠ったようなその顔だち、その上のほう、頭のまわりに、まるでブラシのようにわずかばかりの髪の毛の立っているところ、年のころどうやら五十格好とうかがわれた。この異端な女の無言の呼びかけを感じた彼は、急いで話に口をはさんだ。

「奥さま、ここにおいでのみなさまは、こうした話が、どれほどあなたさまにおつらいことであるか、よくおわかりになっておいでになります。ご令息にたいする奥さまのご信頼、それには、このうえなく心を動かされております……このうえなくおみあげ申さずにはいられません……」と、彼はつけ加えた。そして、いつものくせで、話しつづけながら、人さし指を唇のところまであげて行った。

「しかし奥さま、遺憾ながら、ここに事実というものがございます……」

「その事実というのが」と、ビノ神父は、さも仲間に手本をしめしてもらったとでもいったように、さらに語調に力をこめた。「じつのところ奥さま、その事実というのが、なんとものっぴきならないものでして」

「もうけっこうでございます」と、フォンタナン夫人は、くるりと向きを変えながらつぶやくように言った。

だが、ビノ神父は、そのまま踏みとどまるわけにいかなかった。

「それに、ここに証拠物件がございます」と、彼はさけんだ。彼は帽子を下に落としながら、帯のあたりから、へりの赤い、一冊の灰色のノートを取りだした。「ほんのちょっとでけっこうでございます、奥さま、ごらんねがいましょう。奥さまの夢をこわすことは心なしのしわざかと思われますが、そうしていただかなければなりません。さだめしご納得がいきましょう！」

彼は、ノートをむりにも夫人に受けとらせようと、二歩ばかり歩みよった。ところが、夫人は、さっと立ちあがった。

「みなさま、わたくしはぜったいに一行も拝見いたさないつもりでございます。あの子の秘密を、あの子の知らないあいだに、おおぜいの前であばき、しかもあの子に言いひらきの余地さえあたえないなんて！　わたくしはあの子を、そうしたとり扱いを受けるようには育ててまいりませんでした」

ビノ神父は、腕を前に差しだしたまま、薄い唇の上に当惑の微笑を浮かべながら立ちつくした。

「しいてとは申しません」彼は、あざ笑うようなちょうしで、やっとそれだけ言った。彼は、ノートを机の上におき、帽子をひろうと、ふたたび椅子に腰をおろした。アントワーヌは、彼の肩を引っつかみ、おもてへ突きだしてやりたくさえ思っていた。そして、反感を浮かべた彼の眼差しは、ちょっとのあいだヴェカール神父の眼差しとゆきあった。そして、両者たがいにわかりあったというようだった。

一方、フォンタナン夫人は、すっかり態度を変えていた。昂然とあげているひたいの上には、いまやいどむような表情がしめされていた。彼女は、ひじかけ椅子にかけたままでいるチボー氏のほうへ進みよった。

「もうこんなことはたくさんでございます。わたくしはただ、あなたがどうなさるおつもりか、それをうかがいにあがったのでございます。主人は、ただいまパリにおりません。わたくしひとりで、処理しなければならないのでございます……わたくしが特に申しあげたかったのは、警察をわずらわすことになってはおもしろくない、ということだったのでございます……」

「警察ですと？」と、チボー氏は、気色ばんで問い返した。彼は、腹だたしさのあまり立ちあがっていた。「奥さま、あなたは、地方の警察が全力をあげて、すでに活動していることをご存じないのではありますまいか？　わたくしはけさ、自身、警視総監官房主事に電話をかけておきました。そして、じゅうぶん慎重に、あらゆる方法を講じてもらうように依頼しておきました……あるいはまた、ふたりが、すでに自分たちのよく知っている方面へ立ちまわりはしないだろうかと考え、メーゾン・ラフィットの役場にも電話をかけさせておきました。鉄道会社、国境警備所、港、そういった方面にもちゃんと手配をしておきました。しかし奥さま——なるほど世間の悪い取りざただけは、なんとしてでも避けなければなりますまいが、そのおそれのないかぎり、ああした不所存者をこらしめるためには、むしろ手くびに手錠をはめさせ、警官ふたりに護送させてつれもどしたほうがいいのではありますまいか？　せめてやつらに、まだこのフランスにも、親の威光をまもるための秩序らしいもののの存在していることを思い知らせることができましょうから」

フォンタナン夫人は、なんとも答えずに頭をさげた。そして、戸口のほうへ歩いて行った。チボー氏はわれに返った。

「なにしろ奥さま、何かちょっとした情報でもはいりましたら、さっそく息子をお知らせにうかがわせます」

彼女は、軽く頭をさげて、出て行った。アントワーヌは、彼女を見送りに立って行った。そして、そのあとから、チボー氏もまたついて行った。

「異端者(ユグノート)め！」夫人の姿が見えなくなるやいなや、あざけるようにビノ神父が言った。

ヴェカール神父は、とがめるような身ぶりをせずにはいられなかった。

「なに？　異端者(ユグノート)？」シャール氏は、さも聖バルトロメオ祭の夜(一五七二年八月聖バルテルミ祭の夜を期して、フランス、特にパリで行なわれた新教徒虐殺のこと)の血の池に足を踏み入れでもしたかのように、あとしざりしながらこうつぶやいた。

四

フォンタナン夫人は家に帰って来た。ジェンニーは、ベッドのなかでうつらうつらしていた。彼女は熱っぽい顔をあげて、目つきで母親に問いかけた。だが、やがてふたたび目をとじた。

「ピュスをあっちへつれてって。やかましくってしかたがないの」

フォンタナン夫人は自分の部屋にもどった。そして、めまいがするので、手袋も取らずに椅子に腰をおろした。この自分まで熱にねらわれているのだろうか？　落ちつかなければ。しっかりしていなければ。安心していなければ……彼女は、祈ろうとして頭をさげた。そして、ふたたび頭をあげたとき、彼女の活力にはひとつの目的ができていた。夫の居どころを突きとめるのだ。そして、呼びもどすのだ。

彼女は玄関を通り、しめてあるひとつのドアの前に立つと、ためらった。そして、それをあけた。部屋は、住む人のけはいもなく、ひんやりしていた。そこには美女桜、レモンの酸味を帯びたにおい、なかば蒸発した化粧品のにおいといったようなものがただよっていた。彼女はさっと窓掛けをあけた。部屋のまん中には、事務机がひとつあった。軽いほこりが、紙ばさみの上をおおっていた。だが、紙一枚ちらばっていず、番地なり、手がかりなり、何ひとつ見あたらなかった。家具には、かぎがさされたままだった。部屋のあるじは、ほとんど警戒してはいないのだった。彼女は、机の引き出しをあけて見た。手紙がひとやま、写真が何枚か、扇、それに、すみのところに黒い荒絹のそまつな手袋がひとつ、まるめたままでおし込まれていた……とつぜん彼女の手は、机のふちをつかまえたままこわばってしまった。ひとつの思い出が、急に彼女の心をおそった。彼女は、注意力を失い、その目をじっと遠いところにそそいでいた……二年まえのことだった。ある夏の夕暮れ、電車にのって河岸ぞいを走っていたとき、彼女は、夫のジェロームが、ひとりの女、そうだ、ベンチに腰かけて泣いているひとりの若い女のうえにかがみ込んでいるらしい姿をみつけたように思い――そして彼女は立ちあがって――それがまさに夫にちがいないことを見とどけたのだった！　それからというもの彼女の残酷な想像力は、この一瞬時の幻影を中心として活発にはたらき、好んでそのこまかな節ぶしを組みあげていた。帽子をゆがめた女が、スカートから急いで大きなハンケチを出しかけていた月なみな愁嘆場。ことに、そのときのジェロームの態度！　そうした夫の態度からおして、なんとはっきり、その晩、夫の心を動かしていたあらゆる感情を読みとれたように思ったことか！　もちろんいくらかは同情できないこともなかった。彼女は、夫が気が弱く、とかく情にほだされがちなことを知っていた。と同時に、はがゆいといった気持ち。往来で、あんなみっともないことをするなんて！　そして最後に、何かしら残酷な気持ち！　そうだ！　すっかりからだを投げだすというでもなく、ただ半ば身をもたせているだけといった彼の姿勢、彼女はそこに、もうそろそろいや気がさしてきている男の気持ち、すでにどうやらほかからうわきの口がかかり、かわいそうとは思いながら、そして、心の底ではちょっとやましさを感じながら、けっきょくそうした涙をいいことにして、一挙に別れ話をきめてしまおうという、男の虫のいい打算の気持ちが見てとれたように思った！　彼女には、それらすべてが、一瞬にして、あきらかに見てとれたのだった。そして、その後、こうした妄想におそわれるたびに、彼女は、いつも、おなじようなめまいにくらくらさせられていたのだった。

彼女は大急ぎで部屋を出た。そして、戸口にしっかりかぎをおろした。

ひとつのはっきりした考えが、彼女の心に浮かびあがった。あの女中、半年まえ暇をやらなければならなかったあのマリエット……フォンタナン夫人は、その女の新しい奉公先の番地を知っていた。夫人は、いやだなと思う気持ちをおさえつけた。そして、もうそれ以上迷ったりすることなく、そこをさして出かけて行った。

台所は、通用口の階段をあがった五階にあった。それは、洗い物のえげつないにおいのただよっているといった時刻だった。マリエットはドアをあけた。金髪の娘、何本かのおくれ毛、あどけないふたつのひとみ、まだほんの子供だった。彼女はひとりきりだった。彼女は顔をあからめたが、目だけはきらきら輝いていた。

「まあ奥さま、おめずらしい！　お嬢さまは、あいかわらずおみ大きくなっておいででしょうか？」

フォンタナン夫人はためらった。そして、苦しそうに微笑した。

「マリエット……旦那さまのおところを教えてちょうだい」

娘はまっかになった。目には涙が浮かび、それを大きくあけたままだった。ところ？　彼女は首を振った。彼女も知ってはいなかった。言いかえれば、いまの彼女は、もうそれを知ってはいないのだった。もうあそこのホテルにもいらっしゃらなくなったんだし……それに旦那さまは、ほとんどすぐに、自分から離れて行っておしまいだった……「では、奥さまもご存じないんでございますか？」と、彼女はたずねた。

フォンタナン夫人は、目を伏せて、戸口のほうへすさって行った。もうこれ以上、何も聞きたくないと思って。短い沈黙。そのとき、鍋の湯が炊事竈の上にはぜるような音を立てて吹きこぼれはじめたのを見て、フォンタナン夫人は、機械的な身ぶりで「お湯が沸いてるわよ」と、つぶやくように言った。そして、そのままあとしざりをつづけながら「でもおまえ、ここのおうちではしあわせなの？」と、つけ加えた。

マリエットは答えなかった。だが、フォンタナン夫人が顔をあげ、ふたりの目と目がゆき会ったとき、夫人は、そこに、何かしら動物的なものが動いているように思った。子供っぽい、半びらきにした唇からは、歯並みがのぞいていた。ふたりにとって、はてしないもののように思われたためらいのあと、娘は口ごもりながらこう言った。

「ひょっとして……プティ・デュトルイユの奥さまをおたずねになりましたら？」

フォンタナン夫人は、マリエットが泣きくずれるのも聞かずに飛びだした。彼女はまるで、火事場から逃げだすとでもいったように階段をおりた。その名を聞くとともに、彼女には、いままでほとんど気がつかずにいた、そして、だんだん忘れかけていた無数な偶然の意味が、一時にはっきりわかってきた。

空馬車が一台、通りかかった。夫人は、一刻も早く家へ帰ろうと思って、それに飛び乗った。ところが、さて行く先を言おうとしたとたん、彼女ははげしい欲望におそわれた。それは、聖霊のささやきにしたがうとでもいうようだった。

「モンソー町」と、彼女はさけんだ。

十五分ののち、彼女は、いとこにあたるノエミ・プティ・デュトルイユの家のベルを鳴らしていた。

戸をあけたのは十五ばかりの少女、金髪の顔色のさえざえとした、愛想のいいつぶらな目をした娘だった。

「こんにちは、ニコルちゃん。お母さまはお宅?」

彼女は、自分の上に、少女のおどろきの眼差しが重くのしかかっているのを感じた。

「お呼びして来ますわ、おばさま!」

フォンタナン夫人は、玄関にとり残されていた。心臓はおそろしく動悸をうっていて、いったんそこに当てた手をはなす気になれないほどだった。彼女は、心を落ちつけて、あたりを見まわしてやろうと思った。客間のドアは、あけはなされたままだった。日の光は、壁紙や敷物の色をぱっとはえさせていた。部屋は、独身者の部屋といったような、投げやりな、あだっぽさをしめしていた。《夫婦別れをしたために一文なしになったというわさだったが》と、フォンタナン夫人は考えた。このことから、彼女は、夫が二カ月以来金を渡してくれなかったこと、いまや自分は、家の支出を前にして、どうしていいかわからないでいることなどを思いだした。ひょっとしたら、こうしたノエミのぜいたく三昧も……そうした考えが心をかすめた。

ニコルはもどってこなかった。住まいの中は、しんと静まりかえっていた。夫人は、だんだん胸苦しくなってきて、腰をおろそうと思って客間にはいった。ピアノはひらかれたままだった。長椅子の上には、流行新聞がひろげられていた。低いテーブルの上には巻きタバコが散らばっていた。水盤の中には、赤い石竹の束がいっぱい入れてあった。ひと目見ただけで、夫人の不愉快さはぐっと高まった。なぜだろう?

ああ、それは《あの人》が、ここのあらゆるもののなかにいるからだった! わが家におけるとおなじように、ピアノが、窓のほうへ斜めにおしつけてすえられているのもあの人のやったことなのだ! それをあけたままにしておいたのも、たしかにあの人にちがいないのだ。たといあの人でないにせよ、楽譜がこうして散らばっているのは、たしかにあの人のためなのだ! この大きな、低い長椅子、手の届くところにおかれた巻きタバコなど、たしかにあの人の好みなのだ! そして、夫人が、そこのクッションの上、さも投げやりのように見えながら、そのじつ一分のすきもないものごし、まゆのあいだからは快活な眼差しをひらめかし、腕をぐったり投げだし、指に巻きタバコを一本はさんだまま、長々と身を横たえている姿で思い浮かべたもの、それはまさに彼その人にほかならなかった!

敷物の上の軽い足音に、夫人ははっと身をふるわせた。レースのついたペニョワールを身につけ、片手を娘の肩におきながら、ノエミが姿をあらわした。三十五歳、栗色の髪をした、大がらな、ちょっと小ぶとりの女だった。

「テレーズさん、こんにちは。ごめんなさいね。わたし、けさから頭痛がして、じっと立っていられないのよ。ニコル、すだれをおろしてちょうだい」

その目の光、その顔色など、ともに彼女の言葉を裏ぎっていた。そして、その口軽さも、この訪問がどれほど彼女を当惑させたかを物語っていた。しかもその当惑は、夫人が娘のほうを向きながら、やさしく「あのおばさまはね、お母さまとお話があるの。だからちょっとあっちへ行っててくれない?」と、言ったとき、たちまち不安の色にかわった。

「お部屋へ行って勉強しておいで!」と、ノエミがさけんだ。つづいて娘のほうを向いて、ものものしい笑いかたをしてみせながら「まだあの年だというのにたまらないの。お客間へ来て愛嬌をふりまきたがって! ジェンニーさんもこんな? もっとも、わたしだって、まったくあんなだったわね。お母さんを嘆かせたものだったわ」

フォンタナン夫人は、自分に必要な番地を聞きに来たのだった。だが、ここへ来てからというもの、ジェロームのいるということがいかにもはっきり感じられ、自分がひしひしと侮辱されているように感じられ、ノエミの姿、そのパッとした、品のわるい美しさなどが、いかにも自分をばかにしているように思われたので、またもや衝動にかられるままに、とほうもない決心をしたのだった。

「テレーズさん、おかけにならない?」と、ノエミが言った。

テレーズはかけるかわりに、いとこのほうへ歩みよった。そして、手をだした。そのものごしには、なんら芝居がかったところがなかった。いかにも自然で、いかにもりっぱなものだった。

「ノエミさん……」と夫人は言った。そして、一気に、「うちの人を返してちょうだい」と、つづけた。プティ・デュトルイユ夫人の微笑は凍りついてしまった。フォンタナン夫人は、あいかわらず相手の手を取ったまま「なんにも言わないでね。わたし、とがめ立てをしてるんじゃないの。あの人のほうでしむけたにちがいないわ……わたし、あの人がどんな人か、よく知ってるんですから……」彼女は、ちょっと言葉を切った。息が切れたのだった。ノエミのほうでも、それを得たりとして、弁解しようとしなかった。フォンタナン夫人にとっては、その黙っていてくれることが、なんともいえずありがたかった。それは、そうした沈黙が、事実をみとめたことを意味していたためではなく、こうしてとつぜん襲撃を受けながら、相手がそれを即座に言いくるめるほど悪ずれしていないことがわかったからのことだった。「ねえ、ノエミさん。子供たちってどんどん大きくなっていきますわね。お宅のニコルさん……それにうちのふたりの子供たちも、ずんずん大きくなり、ダニエルなんか、とうに十四になりましたの。悪いお手本を見せることが何より禁物。しかも、悪いことほど伝染しやすいものなんですわ！　ねえ、もうこれくらいでやめようじゃなくって？　も少しすると、見たり……苦しんだりするのが、このわたしひとりではすまないことになりますもの」息を切らした彼女の声は、訴えるようなちょうしにかわった。「さ、わたしたちにあの人を返してちょうだい、ノエミさん」

「だってテレーズさん、とんでもない……あんた気でもちがったの！」若い女は、気を取りなおしかけていた。目は怒りに燃え、唇はとがっていた。「ええ、ほんとに、あなた気でもちがったの？わたしとしたことが、そんなことを黙って聞いているなんて。それほどびっくりしているのよ！　あなた夢をごらんになったのね！　それでなければ、人のうわさにのぼせあがっておいでなのよ！　いったいどうしたっておっしゃるの！」

フォンタナン夫人はそれには答えず、深ぶかとした、さもいとしいとでもいいたいほどな眼差しでいとこを包んだ。それはちょうど、《おめでたいほど人のいいあなた！　あなたは、あなた自身のしている生活よりずっとずっといい人なのよ！》とでもいっているかのようだった。だがとつぜん、その眼差しは、もっこり盛りあがった相手の肩のあたりまですべっていった。そのあらわな、新鮮な、そして、ぽっちゃりした肉づきは、レースの網の下のあたりで、ちょうど網にかかった牛き物のようにおどりはねていた。ふと目に浮かんだ幻想は、あまりにもはっきりしすぎていた。彼女は思わず目をとじた。憎悪の表情、つづいて苦痛の表情が、さっと彼女の頭をかすめた。そこで彼女は、さもいままでの勇気ががっくり落ちてしまったように、すべてに決着をつけようとした。

「たぶんわたしの思いちがいだったでしょうよ……でも、番地だけは教えてちょうだい。それより、そうだわ、わたし、あの人の居どころを教えてほしいというんじゃないの。ただあなたから、どうしても会わなければならない用事のあることを知らせてやっていただきたいの……」

ノエミはさっと身を起こした。

「お知らせするって？　あのかたがいったいどこにおいでなんだか、どうしてわたしにわかると思って？」ノエミはまっさおになっていた。「それに、そうした遠ぼえなんか、もういいかげんにしてくださらない？　ジェロームさんは、ときどきうちへもお見えになるわ！　それがどうだとおっしゃるの！　かくし立てなんかしてないわ！　まさかいとこ同士で、ばかばかしい！」彼女は、本能にかられるままに、人をきずつけるような言葉を口にしてしまった。「あなたがこんな人さわがせに見えたなんてお話ししたら、きっとお喜びになるでしょうよ！」

フォンタナン夫人は、うしろにさがっていた。「あなた、まるで商売女みたいな口をおききになるのね！」

「へえ！　ではわたし、言ってみましょうか？」と、ノエミははねかえした。「旦那さまに逃げられるなんて、それは奥さんが悪いからよ。ジェロームさんが、よそで求めておいでのものを、もしあなたのところで満足させておもらえだったら、なんでいまさら、あのかたをさがさなければならないようなことが起こると思って！」

《ほんとかしら？》と、フォンタナン夫人は考えずにはいられなかった。もう、精を根も尽きはてていた。彼女は逃げだしたい誘惑を感じていた。だが彼女は、住所もわからず、ジェロームを呼びもどすてだてもつかず、ひとりぼっちの自分にかえることがこわかった。その目はふたたびやさしくなった。「ノエミさん、いま言ったことを忘れてちょうだい、そして、わたしの言うことを聞いてちょうだい。ジェンニーが病気なのよ。二日まえから熱を出してるの。そして、わたしひとりぼっちなの。あなただってお母さんだわね。病気になりかけた子供のそばで、待っているもののつらさはおわかりね……もう三週間になるというのに、ジェロームは、ただのいっぺんも顔を見せてくれないの！　どこにいるのかしら？　何をしているのかしら？　娘の病気を知らせたいの！　なんとしてでも帰らせたいの！　言ってやっていただきたいの！」ノエミは、がんとした強情さでかぶりを振ってみせた。「ノエミさん、何はともあれ、あなたそんなに片いじになるって法はないわよ！　ねえ、わたしすっかりお話しするわ。ジェンニーの病気はほんとうなのよ。とてもとても心配なのよ。でもそれよりもっとたいへんなのは」彼女の声は、まえよりぐっと折れてきた。「ダニエルが家出をしたの。ゆくえ不明になっちゃったの」

「ゆくえ不明？」

「さがさなければならないでしょう。こうした場合、わたし……病気の子供をかかえて……とてもひとりではいられないのよ……わかる？　ノエミさん、帰ってくれるようにとだけ言ってやってちょうだい！」

フォンタナン夫人は、相手の気が折れるだろうと信じていた。相手の目には、同情の色が浮かんでいた。だが、相手は半ばくるりと向きなおった。そして両手を上げながらこうさけんだ。

「いったいわたしにどうしろっておっしゃるの！　わたし、あなたのために、何もできないって言ってるじゃなくって！」そして、フォンタナン夫人が、むっとして口をつぐんだのを見ると、顔をほてらせながら急にふり向いた。「テレーズさん、わたしを信じてくださらない？　そう？　じゃあしかたがない、何もかもお話しするわ！　よくって、あの人は、こんどはわたしをだましたのよ。そして、どこかへ、どこだかわたしの知らないところへ、ほかの女と逃げちゃったのよ！　こうしたわけ！　これでおわかり？」

フォンタナン夫人はまっさおになっていた。彼女は機械的にくり返した。

「逃げた？」

いとこは、長椅子の上に身を投げだし、頭をクッションにうずめてすすり泣いていた。

「わたし、あの人にどんなに苦しめられたか！　わたし、あんまりたびたび許しすぎたのよ。あの人は、わたしがいつも許してくれると信じこんでしまったのよ。だがもうだめ。もうどんなことがあったって許しはしない！　わたしに煮え湯を飲ませたのよ！　わたしの目のまえで、わたしの家で、わたしのところにいたチビ娘を、今年十九になる小娘をたらしこんだの。娘のやつは、二週間ばかりまえ、身のまわりいっさいのぼろをまとめて、さよならも言わずに出て行った！　そして、あの人は、下の馬車で待っていた！　そうなのよ」彼女は、立ちあがってわめき立てた。「この町のなかで、この家のまえで、真っ昼間、おおぜい人の見ているまえで――しかも相手はただの女中よ！　あろうことか！」

フォンタナン夫人は、しっかり立っているため、ピアノにもたれていた。彼女は、ノエミのほうをながめていた。だが、そのじつ見てはいないのだった。彼女の目のまえを、いくつものまぼろしが通りすぎた。彼女の目には、マリエットのことが思い浮かんだ。何カ月かまえのこと、それとない合図、廊下を行くきぬずれの音、誰かこっそり七階へ忍んで行くけはい、そしてとうとう現場を取り押さえたすえ、絶え入るほど嘆きながら《奥さま》にお許しを願うその小娘に暇をやったときのこと。彼女はまた、河岸（かし）のベンチの上、涙の目をふいていたあの女、黒い身なりをしたあの職業婦人のことを思い浮かべた。そして最後には、ここ、自分のすぐそばにいるノエミ。夫人は目をそらした。だが、彼女の目は、見るともなしに、いま長椅子の上、身を横ざまに投げだしている美しい女の肉体、しゃくり泣きにふるえ、レースの衣装もはじけるほどの肉をもった、あらわな肩へともどるのだ。ひとつの場面が、なんともたまらないひとつの場面が、はっきり彼女の目のまえに浮かんだ。

一方、彼女の耳には、ノエミの声が、思いだしたように聞こえていた。

「ああ、もうおしまい！　いくらあの人が帰って来たって、いくらひざまずいてみせたって、見向いてさえもやらないから！　憎いわ。軽蔑するわ。あの人は、かぞえきれないほどたびたび、なんの理由もなしに、じょうだんに、まったくおもしろずくで、本能的に嘘をついてはわたしにしっぽをつかまれてたの！　口をひらけば嘘なのよ、あの人、とても嘘つきなのよ！」

「ノエミさん、ちがうわ！」

若い女は、思わずおどりあがった。

「あなた、あの人を弁護なさるおつもり？　あなたが？」

夫人は、はっと我に返っていた。彼女は、ちょうしを変えて、こう言った。

「あなた、ところをご存じないの？」

ノエミはちょっと考えていた。それから、打ちとけたようすで身をよせた。

「いいえ、でも、もしかしたら家番（コンシエルジュ）が、ときどき……」

テレーズは手まねでそれを押しとどめた。そして、戸口のほうへ歩いて行った。ノエミは、その場のようすをつくろうために、顔をクッションにうずめていた。そして、夫人の出て行くのを見ないようなふりをしていた。

玄関まで出て行ったフォンタナン夫人が、入口のドアをあけようとしたとたん、彼女は、ニコルが、腕をひろげてだきついて来るのを感じた。見れば、顔は涙にあふれていた。だが夫人には、なにひとこと声をかけるだけのゆとりがなかった。子供は、くるおしいようすで彼女にキスをした。そして、たちまち逃げて行った。

家番（コンシエルジュ）の女は、待ってましたとばかりに話しだした。

「あの女あての手紙は、みんなその国もとの、ブルターニュのペロ・ギレックに回送しているんでございますよ。そして、親が、あらためて当人の行く先にまわしてくれているんでございましょう。もしご入用でしたら……」こう言いながら、彼女は手あかだらけの帳面をあけて見せた。

家へもどるまえに、フォンタナン夫人は郵便局によった。そして一枚の頼信紙を手にして、こうしたためた。

ヴィクトリーヌ・ル・ガッドさま
エグリーズ広場、ペロ・ギレック（コート・デュ・ノール）
ダニエル、ニチヨウビカラユクエフメイ、コノムネ「フォンタナン」シニ、オシラセネガウ

ついで彼女は封緘（ふうかん）葉書を一枚もらった。

グレゴリー牧師さま

クリスチアン・サイエンティスト・ソサエティー
ヌィイー・シュル・セーヌ市、ビノー通り二番地ろ号

ジェームズさま
二日以来ダニエルは家出をしてしまいました。居どころも知らせず、消息もよこしません。心痛しております。そのうえ、ジェンニーは病気。高熱ですが原因は不明。一方ジェロームは、知らせようにも、どこへ行ったかわかりません。
ひとりぼっちでございます。おいでをお待ち申しております。

テレーズ・ドゥ・フォンタナン

五

その翌々日の水曜日、夕方の六時、背の高い、ひょろりとした、おそろしいほどやせこけ、しかも年のころいくつであるともはっきりしないひとりの男が、天文台通りの家にあらわれた。
「奥さまはお目にかかれないと思います」と、家番が答えた。「お医者さまがたが見えておいでにな

ります。お嬢さまは、もうおむずかしいのでございます」

牧師は階段をあがって行った。あがりきったところのドアは、あいたままになっていた。男物の外套がいくつか、玄関せましと掛けられていた。ひとりの看護婦が、走りながら通りかかった。

「グレゴリー牧師です。どんなぐあいです？ ジェンニーさんは苦しんでいますか？」

「おむずかしいようでございます」と、彼女は、低く、つぶやくように言った。そして、急いで行ってしまった。

彼は、まるで顔をたたかれでもしたように飛びあがった。まるで、空気がとつぜん希薄になりでもしたようだった。息苦しかった。彼は客間へはいって、窓をふたつ押しひらいた。

十分たった。廊下では、人が行ったり来たりしていた。ほうぼうのドアが音を立てていた。そこへ、何やら人声が聞こえた。フォンタナン夫人が姿をあらわした。そして、うしろには、黒い服装をしたふたりの老人がつづいた。夫人は、グレゴリーの姿をみるやいなや、彼のほうへ駆けよった。

「ジェームズさん！ やっとおいでくださいましたわね！ ああ、もう行ってしまいにならずに」

彼は、早口にこう言った。

「きょうロンドンから帰ったばかりでした」

夫人は、相談しているふたりの立会い医師をそこにのこして、彼を引っぱって行った。玄関では、アントワーヌが、シャツ一枚になって、看護婦の出している金だらいのなかで、ブラシでつめをこすっていた。夫人は、牧師の両手をしっかりつかんでいた。ふだんの彼女とは、似てもつかない顔だちになっていた。頬は白くなり、まるで肉が落ちてしまいでもしたようだった。そして、絶えず口もとがふるえていた。

「ああ、どうかここにいてくださいまし！　ジェームズさん、どうかわたしをひとりぼっちにしてお置きにならずに！　ジェンニーは……」

奥のほうから、うめき声がもれて来た。彼女は、言いかけた言葉をそのままにして、部屋のほうへ飛んで行った。

牧師は、アントワーヌのそばへ歩みよった。なにひとこと口に出しては言わなかった。だが、不安げな眼差しで問いかけていた。アントワーヌは首を横にふってみせた。

「絶望です」

「おお！　どうしてそんなことをおっしゃいます？」グレゴリーは、とがめるような口調で言った。

「脳――膜――炎」アントワーヌは、ひたいを指さしながら、刻むような口調で言った。それから

「変な人だな」と、わきを向いて言った。

グレゴリーの顔は、黄ばんで、角ばっていた。白髪のようにつやのない黒い髪は、とりわけ切り立ったようなひたいのまわりに乱れていた。長い、うつむきかげんの、充血した鼻の両側には、ふたつの目がまゆげのかげにかくれていて、燐光を放つとでもいったように光っていた。まっ黒で、ほとんど白目がなく、いつもしめりを帯び、おどろくほど敏捷に動くふたつの目は、まるである種の猿の目を思わせた。それは、猿の目そっくりなものうさと、冷酷さとをしめしていた。顔の下のあたりは、

さらに異様をきわめていた。静かな笑い、あけられた口、それは、なんらこれといった感情をしめしていないで、あごを、あらゆる方向に引っぱっていた。そして、そのあごのあたりの皮膚は、ひげもなく、くしゃくしゃにしわんで、骨にぴったりくっついていた。

「とつぜん？」と、牧師がたずねた。

「熱が出はじめたのは日曜でした。ですが、徴候の確定したのは、きのう、火曜日、朝になってからのことでした。すぐ、ほかの先生がたに立ち会っていただき、あらゆる手当をつくしました」彼の目は、考えこむような色を見せた。「先生がたは、なんと言われるかわかりません。しかし、わたしとしては」と、彼は結論した。そして、顔をひきつらせていた。「わたしとしては、かわいそうに、もう絶……」

「おおdon't!」と、牧師はしわがれた声でさえぎった。彼の目は、じっとアントワーヌの目を見すえていた。その目の下のいらだちの色は、口のあたりの奇怪な笑いと調和をみせていなかった。空気が、急に呼吸しにくくなりでもしたように、彼は、骸骨のような手を、カラーのところへ持っていった。そして、その手を、悪夢のなかでの蜘蛛のように、あごの下で握りしめた。

アントワーヌは、職業的な眼差しで牧師をながめていた。《きわめて顕著な不均斉》と、彼は思った。《それに、あの気ちがいじみた内面的な笑い、無表情な渋面……》

「ダニエルさんは帰って見えましたか？」と、グレゴリーは、改まったようすでたずねた。

「なんの消息も」

「かわいそうに！　奥さまもおかわいそうに！」彼は、なんともいえぬ、やさしい抑揚でつぶやいた。

ちょうどそのとき、客間からふたりの医者が姿をあらわした。アントワーヌは歩みよった。

「絶望です」年のいったほうの医者が、アントワーヌの肩に手をおきながら鼻声で言った。アントワーヌは、すぐに牧師のほうをふり返った。

おりから通りかかった看護婦は、近づいてくるなり声をひそめて、

「先生、ほんとにもう？……」

これ以上、そうした言葉を聞きたくないと思ったグレゴリーは、くるりとうしろを向いてしまった。息苦しいような気持ちがたまらなかった。と、半びらきになっている戸口から階段が見えた。彼は幾とびかで、下へ飛びおりた。彼は通りを横ぎった。髪をふり乱し、立ち並ぶ木の下を、蜘蛛のような手を胸に組み、咽喉(のど)いっぱいに夕暮れの空気を吸いこみながら、まっしぐらに走りはじめた。《けしからん医者ども！》と、彼はつぶやきつづけていた。

彼は、フォンタナン一家と、まるで自分自身の家とでもいったように結ばれていた。いまを去る十六年の昔、懐中一文なしでパリへ出て来たとき、彼はテレーズの父なるペリエ牧師のところでねんごろにもてなされ、援助を受けた。そのことを、彼はけっして忘れなかった。のちに恩人が死病の床についたとき、彼はすべてをなげうってその枕頭にはせ参じ、一方老いたる牧師は、片方の手を娘の手に、もうひとつの手を《せがれ》と呼んでいたグレゴリーの手においで死んでいった。そうした思い

出が、彼には胸を刺すように思いだされた。そして、くるりとむきを変えるやいなや、大またに、ふたたび家へもどって来た。すでに門前には、医者たちの車も見えなかった。彼は急いで家にはいった。ほうぼうの部屋のドアはまだ半びらきになっていた。彼は、うめき声をたよりに、その部屋まではいって行った。窓掛けがずっと引かれていた。薄暗い部屋の中は、あえぎと嘆息とに満ちていた。フォンタナン夫人、看護婦、家政婦の三人は、ベッドの上にかがみ込み、まるで草の上にあがった魚のように、からだをのばしたりちぢめたりしている少女を、大骨折っておさえていた。

グレゴリーは、手をあごにあて、ふきげんそうな顔をして、しばらくのあいだ黙っていた。やがて彼は、フォンタナン夫人のほうへかがみ込みながら言った。

「やつらは、あなたのお嬢さんを殺してしまいます!」

「なんですって? 殺しますって? それはどうして?」

彼女は、絶えず放しそうにするジェンニーの腕に取りつきながら、口ごもるように言った。

「やつらを追っぱらわないと」と、彼はふたたび力をこめて言った。「やつらはお嬢さんを殺してしまいます」

「追いはらうって、誰をです?」

「ひとりのこらず」

彼女は、あっけにとられたように彼をみつめていた。聞きちがいではなかろうか? 陰気なグレゴリーの顔が、すぐ目の前におそろしい形相をしめしていた。

彼は、引ったくるように、ジェンニーの片方の手をつかんだ。そして、身をかがめながら、やさしい、まるで歌をうたうような声でさけんだ。

「ジェンニー！　ジェンニー！　Dearest！　わたしがわかりますか？　わたしがわかりますか？」

落ちつかないひとみ、いままでじっと天井にそそがれていたひとみが、しずかに牧師のほうへ向けられた。すると、彼は、いままでよりもっと身をかがめながら、執拗に、底までとおれと、その目の中に自分の眼差しをそそぎこんだ。するとたちまち、少女はうめくのをやめた。

「おまかせください！」と、牧師は、このとき三人の女に言った。だが、誰ひとり命令にしたがおうとしないのを見ると、首を動かさずに、秋霜のような威厳をこめてふたたび女たちに向かってこう言った。「そっちの手もおかしなさい。よろしい。そして、あとはわたしにおまかせなさい」

女たちは身をどけた。彼はひとり、ベッドの上にうつむきこみながら、まさに消え入ろうとしている目の中に、その磁気的な意力をそそぎ込んでいた。彼にとられたふたつの腕は、長いこと空をたいていた。だが、そのうちぱったり下に落ちた。足だけはしばらくばたばたやっていたが、それもやがてのびてしまった。両眼も、ついにとじてしまった。グレゴリーは身をかがめながら、そばへくるようにフォンタナン夫人に合図をした。

「ごらんなさい」と、彼はつぶやいた。「だまりました。ずっと落ちつきました。やつらを追っぱらっておしまいなさい。ベリアルの子ら（ベリアル――ヘブライ語で《悪しきもの》《害あるもの》を意味するというので旧約聖書にもこの意味での用例がある）を追っぱらっておしまいなさい！　やつらにあっては、ただ迷妄のみが威をふるっているのです！　迷妄は、お子さんを殺してしまいますぞ！」彼は笑った。それは、自分だけが永遠の真理を知っており、その他の世界は、すべてきちがいからできていると考えている予言者の静かな笑いだった。彼は、ジェンニーのひとみにそそいでいた眼差しをそらさずに、声を低めてこう言った。

「女よ、女よ、災いは在ることなし！　それをつくり出すものはおん身なのだ。おん身こそ、それに悪しき力をあたえる。なぜか？　おん身がそれをおそれるからだ。それがそうあることをみとめるからだ！　見るがいい、ここにいる誰ひとり、もはや希望を持っていない。彼らのすべてはこう言った、《もう……》と。あなた自身も、そう考えている。そして、さっきも、あわや言おうとした、《もう……》と！　主よ！　わが上に慎みをおかせたまえ、わが唇の戸に慎みをおかせたまえ！　かわいそうに、わたしがここへやって来たとき、彼女のまわりにはただ空虚だけ、ただ虚無だけ！　そして、わたしはあえて言う、《彼女は病気でない！》と」彼は、人を動かさずにはおかないほどの確信をもってこの言葉をさけんだ。三人の女は、それに電撃されたようだった。「彼女は健康です！　だが、どうかわたしにまかせてください！」

奇術師のような注意深さで、彼は、だんだん指をひらかせていった。そして、少女の手足をはなして、軽くうしろへ飛びすさった。少女のからだは、おとなしく、ベッドの上にのびてしまった。

「生命はよきかな！」彼は音楽的な声で言った。「あらゆる物はよきかな！　知はよきかな！　愛はよきかな！　健康はすべて主にあり、主はまたわれらのうちにあり！」

彼は、小間使いと看護婦のほうを向いた。ふたりは、部屋の奥のほうへすさっていた。

「おねがいです。あちらへ行ってください、わたしだけにしてくださいい」

「では、向こうへ行ってちょうだい」と、フォンタナン夫人が言った。だが、グレゴリーは、すでにすっくと立ちあがっていた。そして注射薬の筒や、包帯や、氷の砕いたのをいれたおけなどを載せてあるテーブルのほうへ腕を差しのべて、それらをのろった。

「これをすっかり持って行って！」と、彼は命じた。

女たちは、言われるままにした。

さて、フォンタナン夫人とふたりきりになったとき、

「さあ、Open the window！」と、彼は快活にさけんだ。「あけて、すっかりあけて、dear！」

往来の茂みをそよがせていたさわやかな風は、いまこの部屋の腐った空気とたたかい、それを下から吹きあげ、渦巻状にまるめて、ぽいとおもてへたたき出しに来たとでもいうようだった。風の愛撫は、燃えるような病児の顔にもふれた。そして少女はさっと身ぶるいした。

「かぜをひきますわ……」と、フォンタナン夫人がつぶやいた。

彼は最初、ただ楽しそうにせせら笑って見せただけだった。

「Shut！」と、やがて彼は言った。「窓をおしめなさい。そう、それでよし！　そして奥さん、あるだけの明かりをおつけなさい。まわりを明るくしなければ！　陽気にしなければ！　そして、わたしたちの心のうちにも、ぐるりにすっかり光をともし、たくさんのよろこびを持たなければ！　主はわれらのいい光なり、主はわれらのよろこびなり、しからば、なんのおそるるところあらん！　主は、のろ

われしときの来るに先だちて、われの来るをゆるしたまえり！」と、彼は両手を差しあげながらさけんだ。ついで彼は、一脚の椅子をまくらもと近くにすえた。「おかけなさい。落ちついて、できるだけ落ちついて。自己統制を忘れずに。ただ主のささやきだけに耳をかすのです。いいですか、主は、彼女がすこやかであることをお望みです！　さあ、主とともに望みましょう！　大いなる善の力によびかけましょう。精神が全部です。物質は、精神の奴隷です。二日このかた、かわいい子は、否定の力から守ってもらえていませんでした。彼らは、ああしたすべての男女、わたしはぞっとさせられました。彼らは、最悪のものしか考えていない。おお、彼らは、困ったことしか招きよせようとしない。そして、みずからの貧しい確信がからになるとき、彼らは万事終われりと思うのです！」

　ふたたび赤子の泣き声のようなうめきがはじまった。ジェンニーは、ふたたびもがきはじめた。やがて、顔はのけぞり、唇はだらけ、いまにも息を引きとりそうなようすだった。フォンタナン夫人はベッドへ飛びかかり、わが身で少女をかばいながら、その顔のうえでこうさけんだ。

「だめ……だめ……」

　牧師は、夫人のほうへ歩みよった。そして、こうした発作を、彼女の責任ででもあるかのように思いきめているようだった。

「こわいのですか？　すると、あなたはもはや信仰を持っておいでではないのですか？　主のみまえにあっては、もはやおそれはありません。おそれは単に肉体的なものなのです。肉体的な存在をお忘れなさい。それは、あなたのまことなるものではない。聖マルコはこう言われた。《汝が祈りつつ望むすべてのものは、すでに得られたるものと思え。しからば汝、その物をまったく所有するに至らん》おまかせするのです。そして祈るのです！」フォンタナン夫人はひざまずいた。「祈るのです！」と、彼は厳然たる口調でくりかえした。「あまりに弱きものよ。まず第一にあなたご自身のために祈るのです！　主があなたに、まず信とやすらぎとをおもどしくださるように！　あなたのまったき信の中にこそ、お嬢さんは救いをおみつけになるのです！　主のみこころによびかけるのです！　わたし自身も、あなたと心を合わせましょう。祈るのです！」

彼は、しばらく心を静めたあとで、祈禱をはじめた。それは、最初はただつぶやきの声にすぎなかった。両足をそろえ、腕を組み合わせ、顔を空のほうへ向け、まぶたをとじて、彼はつっ立っていた。顔のまわりには、よじれた髪の毛が、黒い炎で円光をつくっていた。次第次第に言葉が聞きとれるようになってきた。そして、一種の旋律をおびた子供のあえぎが、彼の祈りに、まるでオルガンの伴奏とでもいったような役をつとめていた。

「全能の神よ！　命をあたえたもういぶきよ！　あなたは至るところ、あなたの作りたまえるもの、その極微なるもののうちにさえおいでになります。かくていま、心の底からあなたに呼びかけたてまつる。あなたのやすらぎで、この苦しめる《家》をみたしたまえ！　このふしどより、いのちを思わすことなきあらゆるものを遠ざけたまえ！　《災い》は、ただわれらの弱さのうちにのみ存していま す。ああ、主よ、われらより《否定》を打ちはらいたまえ！

主ひとり、《無限なる知恵》でおいでになります。主の、われらにたいしてなしたもうところのこと、そはすべて掟にかなえるもの。そのゆえにこそ、いまこの女は、死にのぞめるその子をばあなたにおまかせ申しております！　彼女は、わが子をみこころにまかせ、わが子より離れ、わが子をあきらめております！　主にして、その子を母より奪いたもうとも、彼女にとってなんの異存がございましょう、なんの異存がございましょう！」

「そんなことをおっしゃってはだめ！　いいえ、だめ、ジェームズさん！」と、フォンタナン夫人がどもりながら言った。

グレゴリーは、からだを前へ進めることなく、彼女の肩の上に重い片方の手をおいた。

「信仰うすき女、それははたしてあなたのことであったでしょうか？　いくたびとなく主からいぶきを吹きこんでいただいたそのあなたが！」

「ジェームズさん、三日このかた、わたし、あまりにも苦しかったのです。ジェームズさん、わたし、これ以上がまんできません！」

「わたしは彼女を見る」彼はうしろへすさりながら言った。「これはもう彼女ではない。わたしには見おぼえがない！　彼女は、その心の中に、主の宮居そのものである心の中に、《悪》を踏みいれさせてしまった！　あわれな女よ！　お祈りなさい！　お祈りなさい！」

少女のからだは、神経的な発作におそわれて、夜具の下でおどりはねていた。ふたたび目があいた。そして、そのあっけにとられたような眼差しが、部屋にともされた光のかずかずを、次から次へとみつめた。グレゴリーは、べつに気のついたようすも見せなかった。フォンタナン夫人は、両腕の下に娘をだいて、けいれんを落ちつかせてやろうとつとめていた。

「至上なる力よ！」と、牧師がとなえた。「真理よ！　あなたはおっしゃいました、《われにしたがわんと欲するものは、みずからを捨てざるべからず》と。もし母にして、子にかわってそこなわるべきでありましたら、母は喜んで承知いたしましょう！　母は承知しているのでございます！」

「いいえ、ジェームズさん、いいえ……」

牧師は身をかがめた。

「おあきらめなさい！　あきらめは、あの酵母とおなじものなのです。酵母が麦粉を発酵させるように、あきらめは、悪しき考えを発酵させ、《善》をふくらませてくれるのです！」そして彼は身を起こしながら「主よ、もしあなたにしてお望みでしたら、娘を召させたまえ。母はあきらめております。母はおまかせ申しております！　もしあなたにしてその息子をも望ませたもうのでしたら……」

「いけません……いけません……」

「……もしあなたにして息子をも望ませたもうのでしたら、どうかそれをも召させたまえ！　ふたたび母のもとに立ち帰らせたもうことなかれ！」

「ダニエルまでも？……いけません」

「主よ、母はその息子を、あなたのみまえに、しかも喜んでささげております！　しかも、夫までもと望みたもうならば、なにとぞこれをも召させたまえ！」

「ジェロームを！　いけません」彼女は、ひざの上に身をにじらせながら、うめくように言った。

「これをもおなじく召させたまえ！」牧師は、ますます高まってくる興奮で言いつづけた。

「なんら論ずることなく、ひたすらみこころのままに、なにとぞしかあらしめたまえ！　光の泉なるあなたよ！　善の泉なるあなたよ！　聖霊よ！」

彼はちょっと言葉をきった。それから、夫人のほうを見ずに、

「あなたは犠牲をなさいましたか？」

「どうかジェームズさん、わたしにはとても……」

「お祈りなさい！」

何分かのときがたった。

「あなたは犠牲をなさいましたか、全的な犠牲を？」

彼女は答えなかった。そして、ベッドのすそにくずおれてしまった。

一時間ばかりのときがたった。病児は身動きもしなかった。赤い、ふくれあがった顔だけが、右に左にゆれていた。呼吸がぜいぜいいっていた。じっとあけたままの目には、何か気ちがいじみた表情が浮かんでいた。

とつぜん、フォンタナン夫人はなんの身動きもしないのに、牧師は、さも彼女に名を呼ばれでもしたかのように、びくりとからだをふるわせた。そして、彼女のそばへ歩みよってひざまずいた。夫人は身を起こした。その顔だちは、いままでほど緊張してはいなかった。夫人は、長いこと、まくらの上の小さい顔をながめていた。そして、両手をひろげてこう言った。

「主よ、あなたのみこころを成らしめたまえ。わたくしのねがいのごとき、かえりみたもうなかれ」

グレゴリーは微動だにしなかった。彼は、こうした言葉が、言わるべきときに言われるだろうことをかたく信じていたのだった。彼は、目をとじていた。そして全心から、主のみめぐみをねがっていた。

時はつぎつぎにたっていった。おりおり、少女は、最後の力を失ってしまうのではないかと思われた。そして、彼女にのこっていた生きる力が、その眼差しとともにゆらぐのではないかと思われた。また、あるときは、彼女のからだをはげしいけいれんがおそった。すると、グレゴリー牧師は、少女の片手を両手のなかににぎって、心からの声でこう言った。

「刈り入れがなされているのです！　刈り入れがなされているのです！　祈らなければいけません。祈りましょう」

五時ごろ、彼は立ちあがり、ゆかにすべり落ちていた夜具を少女の上にかけてやってから、窓をあけた。ひえびえした夜気が、部屋のなかにはいって来た。フォンタナン夫人は、ずっとひざまずいたまま、何ひとつ牧師のすることをとめようとしなかった。

彼は、バルコニーにあがった。しののめの色は、まだそこはかとなく、空は金属性の色をおびていた。往来は、まるで陰の堀とでもいったように深くくぼみこんでいた。だが、リュクサンブール公園には、地平線が青みはじめていた。往来には水蒸気が流れ、それが木々のこずえの黒い茂みを、綿のようにつつんでいた。牧師は、からだをふるわせまいとして、両腕に力を入れた。そして、両のこぶしで、しっかり欄干をにぎっていた。ひんやりした朝の空気は、微風にゆられるままに、じっとりした彼の顔、徹夜と祈禱にやつれた彼の顔のうえをながれていた。すでに、屋根屋根が青みかけていた。家々の、くすぶりかえった石のおもてからは、よろい戸があかるく浮きあがっていた。

牧師は、東のほうを向いていた。暗い夜の底からは、ひろやかな光のとばりが、ばら色をした光が、彼のほうへあがってきて、やがて空いっぱいに光が満ちた。いま、自然全部が目をさましかけているのだった。数かぎりないうれしげな分子が、朝の空気のなかにきらめいていた。と、たちまち、新たな一陣の風が彼の胸をふくらませ、超人的な力が彼の身内にしみわたり、彼を持ちあげ、彼を無限に大きくさせた。彼は、一瞬にして、かぎりない力を自覚した。いま、彼の考えは、全宇宙に号令しているのだった。彼には、すべてのことができるのだった。ここなる木に向かって《そよげ》と言ったら、木はたちまちそよぐにちがいない。少女に向かって《立て！》と言ったら、少女はたちまちよみがえるにちがいない。彼は腕をのばした。すると、たちまち、彼の身ぶりをそのままうつして、通りの茂みがざわめきをたてた。そして、彼の足もとの樹木の中から、小鳥の群れが、歓喜のさえずりをたてて飛びたった。

そこで、彼はベッドのそばへ歩みより、ひざまずいている母親の髪に手をのせて、こうさけんだ。

「ハレルヤ、dear！　まったき清めがすみましたぞ！」

彼はジェンニーのほうへ進みよった。

「やみはすっかり追いはらわれた！　さあ、かわいいジェンニー！　おまえの両手をかしておくれ」すると、二日以来、ほとんど人の言う言葉もわからなかった少女は、両方の手を差しのばした。「じっとわたしを見るのだ！」すると、もう何も見えなくなっていたようなぎろぎろした目が、じっと彼の上に見すえられた。「《そは、なんじを死より解き放たん。しかして、地上の獣（けだもの）たちはこぞってなんじとともにむつまん》おまえは健康なのだ！　やみはすでに消えたのだ！　主にみさかえあれ！　祈るのだ！」少女の眼差しには、ふたたび正気づいた表情が立ちもどった。彼女は唇を動かしている。まさしく、祈ろうとしているのだ。「さあ、my darling, もはや何ひとつさまたげるものはない！喜びをいだいて寝たらいいのだ！」

それから数分の後、五十何時間めかに、ジェンニーは、はじめてうとうとした。じっと動かない彼女の頭は、ぐったりまくらの中に落ちこんでいた。まつげのかげは、頰の上にのび、そして、その唇からは、規則正しい呼吸がもれていた。助かったのだ。

六

それは、ジャックとダニエルのあいだで、教師の目にふれずに取りかわすようにと選ばれた灰色クロースのノートだった。最初の何ページかには、つぎのような文字が書き散らされていた。

《ロベール・ル・ピウ（フランス王ロベール二世のこと。九七〇―一〇三一。篤信をもって知られ篤信王（ル・ピウ）の名あり）の年代を知ってるかい？》

《rapsodie か rhapsodie か！》

《eripuit（《彼はむしり取った》を意味する）をどう訳す？》

ほかのところには、バラの紙に書かれた、ジャックの詩に関係のあるらしい注であるとか、訂正であるとかが書かれていた。

やがて、ふたりの生徒のあいだに、連絡のとれた文通がはじまっていた。

少し長めな最初の手紙は、ジャックの手によるものだった。

パリ、アミオ中学校、三年級A組。QQ、通称《豚の毛》の監視をくぐって、三月十七日、月曜日、三時三十分十五秒。

きみの精神状態は、無感覚か、肉欲か、恋愛か、そのいずれにありや？　ぼくをして言わせると、むしろ第三の状態にありと思う。前二者にくらべて、ずっときみらしいから。
ところで、ぼくには、自分の感情を研究してみればみるほど、人間は

一個の獣

であり、そして恋愛のみ、よくこれを高め得るもののように思われる。これこそは、ぼくのきずついた心のさけびなのだ。それはたしかだ！　きみというものがなかったら、ぼくは一個のなまけもの、一個のあほうにすぎなかったにちがいない。ぼくが理想にあこがれているのも、それはまったくきみのおかげだ！

ぼくは、決してああした時のこと、それは不幸にも、あまりに、あまりに短すぎたが、なにしろふたり互いに、互いのものとなれたああした時のことを忘れることができない。きみこそは、ぼくがただひとり愛する友！　ほかにはぜったい求められまい。なぜかといえば、ぼくには、かずかずのきみとの情熱的な思い出が、たちまちに思い浮かんでくるだろうから。さようなら、ぼくは熱を出している。こめかみが鳴る。目がかすむ。ねえ、どんなことがあっても離れまい。ああ、いつ、いつの日にふたりは自由になれるのか？　いつの日に、ふたりはいっしょに生活し、いっしょに旅ができるのか？　いろいろな外国、どんなにたのしいことだろう！　ふたりして、不滅な、美しい印象を集めてあるき、そのまだぬくみのうせないうちに、ふたりでいっしょに、

それを詩にして歌うのだ！

ぼくには待てない。すぐに返事をくれたまえ。もしきみにして、ぼくがきみを愛しているのとおなじように、このぼくを愛していてくれるのだったら、四時までに返事をくれなければ！ちょうどペトローヌ（古代ローマの作家。皇帝ネロに愛され、風流人として有名だった）が清らかなユニースを抱いたように、いま、わが心は、きみの心を抱きしめているのだ！

Vale et me ama!（《元気で！　そしてぼくを愛してくれ》）

J.

これにたいして、ダニエルはつぎのページで答えていた。

ぼくは思う、たといぼくがただひとり、ほかの国に生きていたにしても、ぼくらふたりの心を結びつけている真実、この世にただひとつしかないきずなは、きみの身に起こるあらゆることをぼくに知らせずにはおかないだろう、と。ぼくたちふたりの友情のうえには、月日の歩みもないかのようだ。

きみの手紙をもらううれしさ、それを口で言うことは不可能だ。きみこそはぼくの友ではなかったろうか？　そして、さらにそれ以上のもの、このぼく自身の真の半身ではなかったろうか？きみが、このぼくの心を形作るにあずかって力あったのとおなじように、ぼくもまた、きみの心を形作るのにあずかっていたのではなかったろうか？　おお、きみに手紙を書きながら、ぼくは、それらが、真にして力強きものであることを感じる！　ぼくは生きている！　そして、肉体も精神も、心も、想像力も、すべてはぼくのうちに、きみの愛情によってこそ生きているのだ！　そして、真実な、それに唯一無二のわが友よ、きみの愛情をぼくはぜったいに疑っていない！

D.

追伸。ぼくは母に、ぼくの自転車を売り払わせることを承知させた。たしかに、あまりボロすぎるから。

Tibi（《最愛なる友よ》）

D.

また別のジャックの手紙。

O dilectissime！（《なつかしき友よ！》）

どうしてきみは、ある時は愉快そうに、またあるときは悲しそうになれるのだ！　このぼくは、きわめてはげしい愉快さの中にあって、ときどき苦しい思い出におそわれる。そうだ、ぼくにはわかっている、これからさき、ぼくは愉快な浮きうきした気分にはなれそうもないんだ！　ぼくの前には、いつも、あの近よりがたい《理想》の幻影がつっ立つことになるのだ！

ああ、ぼくにはときどき、あの、あまりにも現実的なこの世の外に暮らしている、血の気のうせた童貞さんたちの法悦境がわかるような気がする。――せっかく翼を持っていながら、それを牢獄の格子に打ちあてて、無残にも折ってしまわなければならないとは！　敵意をもった世界のなかで、ぼくはひとりぼっち。愛する父も、ぼくをわかっていてはくれない。まだ年若いぼくでいながら、ぼくのうしろには、すでになんというおびただしい、砕かれた草木、雨とかわった露のしずく、満たされぬ肉欲、また、味のにがい絶望のかずかず！……

愛する友よ、このごろのぼくの陰気さをゆるしてほしい。ぼくはたしかに、生成途上にあるにちがいないのだ。頭はたぎる。そして、心もおなじく（できれば、さらにはげしくといいたいところだ）。ふたりはしっかり結ばれていよう！　暗礁を、また快楽とよばれる旋風を、ふたりして手をたずさえて避けて行こう。

ぼくの手のなかの、あらゆるものが消えてしまった。ただひとつ残ったもの、それこそは、うれしき友よ、きみにすべてを打ちあけたという喜び！

J.

追伸。暗記物があるので大急ぎで終わる。最初のひとことさえまだおぼえていないのだ。畜生！　愛する友よ、もしきみというものがなかったら、ぼくは自殺してしまうだろう！

J.

ダニエルは、すぐに返事を書いていた。

友よ、きみは苦しいのか？　そんなにも若いきみが、おお、愛する友よ、そんなにも若いきみが、なぜ人生をのろったりするんだ？　罰があたるぞ！　なに、きみの霊は地上につながれているって？　勉強するのだ！　読むのだ！

どうしたら、きみを苦しめている悩みから、きみを救ってやれるだろう？　そうした絶望のさけびにたいして、どういう薬がいいのかしら？　そうだ、友よ、《理想》は、けっして人生と相容れないものではない。そうだ、それは、詩人の夢から生みだされたまぼろしだけにはとどまらない！　ぼくにとって、《理想》とは（なんと説明したらいいかむずかしいが）、ぼくにとっては、この地上のきわめていやしいものの中にまで偉大さを行きわたらせることなのだ。みずからのなすあらゆることを、偉大ならしめることなのだ。主のいぶきが、尊い力としてわれらのうちに置いてくだすったあらゆるもののまったき発展。わかるか？　これがぼくの心の底にある《理想》なのだ。

こうして、もしきみにして、ぜったい誠実なひとりの友、夢みること多く、苦しむことも多かったため、人生についても大きな経験を持っているひとりの友人を信じてくれるというなら、またきみにして、ひたすらきみの幸福をねがってやまないきみの友を信じてくれるというなら、このぼくは、きみに向かってこうくり返さずにはいられない、きみは、きみを理解し得ない人々、きみを侮蔑する外部の世界の人々のために生きているのでなく、絶えずきみを思い、あらゆることについてきみとともに愛し、きみとひとしく感じているある者（とりもなおさずこのぼく）のためにこそ生くべきだ、と！

ああ！　ぼくらの比類ない友愛のやさしさこそ、きみの痛手の上にぬるための聖油であってくれるように！

時をおかずに、ジャックは、余白にこう走り書きをこころみている。

ゆるしてくれたまえ！　愛する友よ、これこそは、狂激で、大げさで、夢想的なぼくの性格によるあやまちなのだ！　ぼくは、暗澹たる絶望の底から、たちまち雲をつかむような希望へうつる。船底にいたかと思うと、一瞬ののちには雲の上まで飛びあがる!!　ぼくには、脈絡のあるものを愛することができないのか？（ただし、きみというものをのぞいて!!）それに、ぼくの芸術をも!!）これがぼくの運命なのだ！　この告白をわかってほしい！

ぼくはきみを尊敬する。きみの寛大さのゆえに、きみの繊細な感覚のゆえに、また、きみがあらゆる考え方、あらゆる行為において、また愛のはげしさの中にあってさえ、まじめであるがゆえに。あらゆる愛情、あらゆる感動、ぼくはそれらをきみとおなじく感じている！　ふたりをしてかくも互いに愛させたもうこと、孤独にすさむふたりの心を、かくも堅い結合によってひとつに合わせたもうことを、主に感謝したてまつろう！

けっしてぼくを捨てないで！

そして、ぼくらふたり、お互い同士の燃える相手であることを、未来永劫おぼえていよう。

J.

ぼくらの愛

ダニエルの、長い二ページにわたる手紙。背の高い、しっかりした筆の跡。

四月七日　月曜日

友よ
あした、ぼくは十四になる。去年、ぼくは十四歳とつぶやいた……――そこはかとない美しい夢でも見ているような気持ちで。時はゆく。そして、ぼくらをしぼませる。だが、事実なにも変わってはいないのだ。あいかわらずのぼくらなのだ。何ひとつ変わらなかった。しいて言えば、元気がなくなり、年をとったという気持ちだけ。

ゆうべ、ベッドにはいりしなに、ぼくはミュッセの詩集を一冊手にした。このあいだは、最初の何行かを読むうちにからだにこまかいふるえが来た。そして、おりおり、目から涙があふれさえした。ところがきのうは、眠れぬままの何時間かのあいだ、ぼくは興奮していた。だが、何ひとつ出てきそうには思われなかった。ぼくは、文句の切れのよいこと、響きのよいことを思っていた……おお、なんたる冒瀆！　やっとのことで詩的感情が心の中に目をさまし、やさしい涙のせきが切れた。そうして、やっとぼくは心をふるわせた。

ああ！　なんとしてでもこうした心の涸れないように！　おそれるところは、生活が、心や感覚を硬化させてしまうことだ。ぼくは老いる。神、聖霊、愛、そうした高邁な観念は、すでに昔のようにはぼくの心に響きを立てない。そして、すべてをむしばむ《疑惑》は、おりおりぼくをも食(は)んでいる。おお、論議をすてて、なぜ全身の力をあげて生きようとはしない？　ぼくらはあまりにも考えすぎる。ぼくのうらやむのは、あの青春の意気なのだ。つまり、わきめもふらず、考えなおしたりすることなく、危険めがけておどりかかっていくことなのだ！　ぼくは思う、いたずらにわれとわが身を反芻(はんすう)するかわりに、目をとじて、崇高なひとつの《思想》、けがれなき理想の《女》に身をささげることができたら、と！　ああ、おそろしいのは、行きどまりになった希望の数かず！……

きみは、ぼくのまじめさをほめてくれた。だが、それこそ逆に、ぼくにとっての貧困、ぼくののろわれた運命なのだ！　ぼくは、花から花へ蜜を吸いあるく蜜蜂のようなものではない。ぼくは、ただ一輪のばらに身をひそめる黒いぶんぶん。花の中に生活し、花はやがてこれを包んで花弁をとじ、それは、いまわの抱擁に窒息しながら、みずからの選んだ花にだかれたままで死んでいくのだ。

愛する友よ、ぼくのきみへの愛着も、これとおなじように誠実なのだ！　きみこそは、ぼくのため、この荒涼たる地上にひらいてくれたばらの花。どうかなつかしいきみの胸の底深く、ぼくの暗い悲しみを埋めてくれ！

D.

追伸。復活祭の休暇のあいだ、きみは心配なしにぼくのところに手紙をくれていい。母は、ぼくあてのどんな手紙でも開封したりしない。だが、あまりむちゃなことは書かないように！

ゾラの『壊滅』を読みおわった。貸してやれる。ぼくはいまもなお感動し、ふるえている。その力と深さとが美しい。これから『ウェルテル』を読もうと思う。おお、友よ、これこそは書物の中での書物なのだ！　ジップ（フランス閨秀作家。一八四九―一九三二）の『彼女たちと彼』も手にしたが、まず第一に『ウェルテル』から読もうと思う。

D.

ジャックからは、こうしたきびしいたよりが送られている。

わが友の十四歳を迎えたのに際して。

《世には、昼間、口に言いがたい悩みに苦しみ、夜は眠れず、心には、淫楽をもってしても満たすことのできなかった恐ろしい空虚を持ち、頭には、ありとあらゆる力があわ立ちかえり、歓楽の絶頂、陽気な客人たちのあいだにあってさえ、たちまち、暗い翼を持った孤独が、みずからの心の上を飛びかけるのを感じるというような人がいる。世には、何ものをもねがわず、何ものをもおそれず、生をいとい、しかもこれを捨て去る力を持たない人がいる。**こうした人、これこそは神を信ぜざるもの!!**》

追伸。この手紙を保存すること。心がすさむとき、いたずらにやみの中に呼号するようなとき、これを読みかえしてくれたまえ。

J.

《休暇中勉強したか?》あるページの上のところで、こうダニエルが質問している。

そして、ジャックの返事は、

ぼくは、前に作った『アルモディォオスとアリストジトン』ふうの詩をひとつつくった。はじめのところがかなりしゃれている。


あわれカイザルよ！　いまここに眼青きゴールのむすめありて
君のため、ほろびし故国に囃されし舞いの手ぶりを舞わんとす！

白鳥の、雪とも見えて飛ぶかげの、水際の蓮さながらに、その身おののきたわみたり……

《大君よ！　……重き剣のきらめきぬ……

　見たまえ、これぞ舞うひとの、そのふるさとの手ぶりなる！》

等々……そして、最後のところはこうなってる。

あなカイザル、青ざめぬ！　こはいかに、こはそもいかに！
舞う人の、咽喉ふかく、剣するどく食み入りぬ！
杯は落ち……目は閉じぬ……
いま満身を血に染めて
月を浴びたるこのゆうべ、裸形の舞いのすがたかな！

湖ちかく、しばだたく、大き明るき灯をまえに、
きみが宴に召されたる、金髪なせる勇婦が、
舞いの手ぶりはおさまりぬ！

ぼくはこれに《真紅のかずけもの》という題をつけている。これに振りつけた舞踊もあるんだ。ぼくは、この舞踊を、オランピア座（ロイ・フューラーがパリで出演して、当たりを取った小屋の名）で踊ってもらうため、あのすばらしいロイ・フューラー（アメリカの女流舞踊家）にささげようと思っている。どうだ、踊ってくれるだろうか？　ところがぼくは数日まえから偉大な古典的詩人たちによる押韻や定型詩にもどろうという、抜くべからざる決心をした。要するにぼくはそれがとてもむずかしいので、それでいままでそれを軽蔑していたように思うのだ。ぼくは、きみにも話した殉教者を題材にして、ひとつひとつの節に韻を踏んだオードを作りかけた。これがその冒頭だ。

ラザロ会霊父ペルボワール師にささぐ
一八三九年十一月二十日中国にて殉教
一八八九年宣福式宣下。

礼す！　聖き師よ。雄々しききみが殉教は、

おどろけるこの世を挙げて、おそれもて戦(おのの)かしめぬ。
願わくは、わが歌をして、竪琴(こと)のうえ、きみがみわざをうたわしめよ。
主を崇(た)つる、国をあげての英雄を。

だが、ゆうべから、ぼくには、ぼくの真の天分が、詩を書くことにはなく、小説、しかもぼくにして根気さえあったら、長編小説を書くことに存するように思われてきた。ぼくはいま、大きな題目に悩まされている。聞いてもらおう。

ひとりの娘がいる。大芸術家の子供で、アトリエのすみに呱々(ここ)の声をあげ、そして、彼女自身も芸術家なんだ（というのは、ちょっと軽いちょうしのものではあるが、なにしろ自分の理想を、家庭生活のなかにおかず《美》の表現というところにすえているんだから）。その娘が、ひとりのセンチメンタルな、だが、彼女の荒けずりの美に魅力を感じたひとりのブルジョワの青年に愛される。だがやがてふたりははげしく憎みあう。そして、別れる。男はひとりのかわいい田舎娘と清らかな家庭生活にはいるため。そして女は、恋に泣きぬれて放埓(ほうらつ)な生活にはまりこむ（もしくは、その天分を主にささげる。どっちにしようか、思案中だ）。だいたいこうしたものなんだ。どう思う？

ねえ、なんら技巧を用いずに、すなおにはこんでいく。そして自分が創造するために生まれたのだという気持ちになるやいなや、自分にはこの世の中で最も重い、最も美しい使命が負わされ、完成すべき大きな任務が負わされているのだと考えるんだ。そうだ！　誠実であること！　あらゆることに、あらゆる時に、いつも誠実であること！　ああ、こうした考えが、なんときびしくぼくに取りついて離れないことか！　ぼくは幾度となく、自分自身のなかに、あのモーパッサンが『水の上』で語っているような、にせ芸術家、にせ天才のいつわりを発見したように思った。ぼくの心は、むかむかして来た。おお、愛する友よ、ぼくは、きみというものをあたえられたことを、どれほど主に感謝していることか！　ふたりとも、自分自身をしっかり知るため、また自分たちの真の才能についてけっして夢をいだかないため、これから先いつまでも、どんなにかお互いが必要なことか！

　ぼくはきみが好きだ。そして、いままた、ほら、けさのように、熱情的にきみの手を握る。完全に、そして、たまらないほどきみのものであるわが全身の力をこめて！

　気をつけたまえ。Q.Q.のやつ、いやな目つきでぼくたちを見たぞ。ぼくたちが高貴な思想をもっていること、やつがサリュスト（紀元前のローマの史家）を読んでいるまにぼくらがそうしたものを伝えあっていることなど、とてもやつにはわかりっこないんだ！

J.

　ジャックからは、さらに次のような手紙。ひといきに書かれ、ほとんど読みわけられないほどの手紙である。

Amicus amico！（友より友へ）

ぼくの心はいっぱいだ。あふれそうだ！　そのあわ立ちかえる波の中から、できるだけのものをここに書く。

苦しみ、愛し、希望するために生まれたぼくは、希望し、愛し、苦しんでいる！　ぼくの一生の物語は二行に要約される。ぼくを生かすものは愛。そしてぼくには、ただひとつの愛しかない、それはきみだ！

幼いころからぼくはこうした心のたぎりを、ぼくをすっかり知っていてくれる誰かの心にぶちまけたく思っていた。ぼくは昔、ぼくの兄弟のように思われるひとりの架空な人物に向かって、どんなに数かぎりない手紙を書いたことだろう！　だが悲しいかな、ぼくの心は、ただ夢中に、ぼく自身の心に向かって語っていたにすぎなかった、というより、書いていたにすぎなかった！するとたちまち、主はこうした理想に肉体をあたえてくだすった。そして、愛する友よ、それがきみ自身というわけだった！　いつからそういうことになったか？　いまとなってはわからない。ひとつひとつたどってみても、しょせんぐるぐるまわりをするだけで、どうもその始まりがわからない。だが、こうした愛ほど、楽しいもの、これほど気高いものがあり得るだろうか？　くらべてみるようなものがないのだ。われらの秘密のそばにあっては、いかなるものも光を失う！これこそは、ふたりの生活をあたためてくれ、輝かしてくれるひとつの太陽！　だが、これらすべて、とても筆では書くことができない。書いてしまえば、写真にうつした花とおなじだ！　だが、もうこのくらいにしておこう！

きみはおそらく、救いを、慰めを、希望を必要としていることだろう。それなのに、ぼくは、やさしい言葉を送るかわりに、一個のエゴイスト、自分のためだけに生きている一個のエゴイストの泣き言だけを書いている。友よ、ゆるせ！　ぼくには、ほかに書きようがない。ぼくは、いま危機にある。そして、ぼくの心は、くぼ地の岩床よりもかわいている！　あらゆるもの、また自分自身についての不安定、これこそ一番残酷な苦しみなのではあるまいか？

ぼくを軽蔑せよ！　手紙もくれるな！　ほかの誰かを愛してくれ！　ぼくはもう、きみのめぐみに値しない男だ！

おお、宿命の皮肉は、このぼくを、どこへ追いやろうというのだろう！　どこへ？　虚無へ、だ！

手紙をくれたまえ！　きみなかりせば、ぼくはおそらく死んでしまおう！

Tibi eximo, carissime！（君に、心の底より、なつかしき友よ！）

J.

ピノ師は、ノートの終わりに、逃亡の日、教師のおさえたという手紙をはさんでおいた。筆跡はジャックのもので、鉛筆によるおそろしいほどの走り書きだった。

卑怯にも、なんの証拠もなく、非難してはばからぬやつら、彼らに汚辱あれ！

汚辱と、そして災厄と！

これらすべての陰謀は、恥ずべき好奇心からなされている！　やつらは、ぼくらの友情を引っかきまわそうとした。そして、そうした彼らのやりかたは醜陋きわまる！

卑怯な振舞いはぜったいやめよう！　嵐に向かって突進するのだ！　むしろ進んで死をえらぼう！

われらの愛は、誹謗、威嚇の上にある！

ふたりでそれを証明しよう！

命をかけてきみのものなる

J.

七

ふたりは日曜日の晩、十二時すぎにマルセーユに着いた。すでに興奮も去ってしまっていた。彼らは、暗い列車のなか、木の腰掛けの上に、からだをふたつ折れにして眠った。停車場への到着、転車台のはげしい響きに、彼らはハッと目をさました。そして、目をしばたたき、ひと言も口をきかず、不安な、まるで酔いがさめたとでもいったようすでプラットフォームにおり立った。

宿をとらなければならなかった。停車場のま向かい、《ホテル》と書いてある白い電灯の下で、亭主が泊まり客をねらっていた。ふたりのなかでも臆面なしのダニエルが、今夜ふたり泊めてもらうことにする、と言った。亭主は一応不審に思って、なにやかやと問いかけてきた。答えはちゃんと用意していた。

（お父さんは、パリの停車場で、行李を忘れてきたので乗りおくれた。あした、たしかに一番でやってくるだろう……）亭主は、かるく口笛を吹いていた。そして、うさんくさい目つきで、じろじろふたりをながめていた。やがて、亭主は宿帳をひらいた。

「お名まえをねがいます」

亭主は、ダニエルに向かって話していた。ダニエルのほうが年長に見えたせいもあろうが——十六くらいには見えるのだった——とりわけ顔だちといい、からだ全体のようすといい、何かしらきっぱりしていて、いやでも一もくおかせないではいなかったからだ。彼は、ホテルにはいるときに、帽子をぬいだ。それは、気おくれからのことではなかった。ダニエルには、帽子を取り、その手を下におろすときのやり方に特色があった。そして、それは《ぼくは、何もあなたのために帽子をぬぐんじゃありませんよ。礼儀にかなうためだけですよ》とでもいうようだった。左右よくそろってわけた漆黒の髪は、きわだって白いひたいの中央のあたりにくっきり切れこみを見せていた。

面長な顔は、線のはっきりした、意思の強さをしめしていると同時に、一方おだやかな、すこしも粗暴なところのないあごまでいって終わっていた。彼の目は、いささかの弱みをも見せずに、だからといって突っかかるようなようすも見せずに、亭主の疑問をうけとめていた。そして、宿帳の上に、さっさと、《ジョルジュ・ルグラン、モリス・ルグラン》と書きつけた。

「お泊まり七フランちょうだいします。すべて前金になっていまして。一番は五時半に着きます。すぐにお知らせしましょう」

ふたりは、腹がへって死にそうだった。だが、そうと口に出しては言えなかった。

部屋の中の家具は、ベッドがふたつ、椅子が一脚、それに金だらいがひとつ。部屋にはいるなり、お互いの見ている前で裸にならなければならないことに気のついたふたりは、おなじことを思って当惑していた。寝たい気持ちも、いまではどこかへ消えてしまっていた。ふたりは、そうしたたまらない時刻の来るのをなるべくおくらせるため、ベッドに腰かけて勘定をはじめた。財産合わせて百八十八フラン。ふたりはそれを分けあった。ジャックは、ポケットをひっくりかえして、小さなコルシカふうの短刀、オカリナ(小さな吹奏楽器の一種)、二十五サンチーム本のダンテの翻訳。それに、なかばとろけた板チョコなどを取りだした。そして、その板チョコの半分をダニエルにやった。だが、そのあとでは、ふたりは、どうしていいかわからなかった。ダニエルは、ばつの悪さを取りつくろおうと思って靴のひもをときにかかった。ジャックもさっそくまねをした。ふたりはいま、とりとめのない不安にかられていた。やがて、ダニエルは心をきめた。彼は、「じゃあ消すぜ……おやすみ」と言いながら、ろうそくの火を吹き消した。そして、ふたりは、すばやく、何も言わずにベッドにはいった。

翌朝、五時まえに、ドアががたがたゆすられた。ふたりは、白みかけた暁の光をたよりに、幽霊のように着物を着た。口をきくことをおそれるふたりは、亭主のつくってくれたコーヒーも飲まず、がたがたふるえながら、すき腹をかかえて、停車場の簡易食堂へ出かけて行った。

正午までに、ふたりは、すでにマルセーユのいたるところを歩きまわっていた。ふたりは、昼間になり、そして、自分たちが自由の身であると感じるとともに、ふたたび腹がすわっていた。ジャックは、いろいろ印象を書きつけるため、手帳を一冊買った。そして、ときどき、何か感じたらしい目つきで立ちどまっては、いろいろなことを書きつけていた。ふたりは、パンやソーセージを買って、港へ出た。そして、どっしり動かずにいる大きな汽船や、たえずゆれている帆船などを見ながら、巻き綱の上に腰をおろした。

ひとりの水夫が、巻き綱をほどきにやって来て、ふたりを立ちあがらせた。

「こうした船、みんなどこへ行くんです?」と、思いきってジャックがたずねた。

「船によってちがうさ。どいつのことだね?」

「あの大きいやつ」

「マダガスカルだ」

「へえ、じゃあ、もうじき出るところが見られますね?」

「いや、あいつは木曜でなくちゃ出ない。船の出るところが見たかったら夕方五時に来るがいいや。そこにいるラ・ファイエット号が、チュニスへ向けて出帆するから」

これでふたりにはすべてがわかった。

「だって、アフリカであることにちがいはないさ」と、ジャックは、パンをひと口かみとりながらそれに答えた。「チュニスはアルジェリアじゃないんだぜ……」

ダニエルが注意した。積み重ねた箱のそばにしゃがみこんだ彼、髪の毛は褐色、しかもごわごわしたやぶのようなやつが低いひたいの上に草のように生え並び、頭全体は骨ばって、ピンと突きだした耳、くびは細く、格好のわるい小さな鼻にたえずしわのよっているところは、ぶなの実をかじっているりすそっくりのかっこうだった。

ダニエルはちょっと食うのをやめて、

「ねえ……どうだろう、ここから彼らに手紙を出しといては……」

ジャックは、ちらりと目を投げて、こうした言葉にとどめをさした。

「ばかをいうなよ」と、彼は、口いっぱいほおばったままさけんだ。「向こうへ着くなり、たちまちつかまえられたいとでも思ってるのか?」

ジャックは、憤然とした表情で、じっとダニエルを見すえていた。むしろ無愛想といったような、そして、そばかすのしみでさらにみにくくされている顔の上には、小さい、くぼんだ、意思的な、つめたい青さをたたえた目が、人にせまるような力で光っていた。しかも、その眼差しは、とても変化に富み、そこにはほとんどとらえがたいものがあり、それは、まじめかと思うとたちまちおひゃらかすような眼差しにかわり、やさしく、あまえているかと思うと、とつぜん、いじわるな、冷酷とさえ思われるようなものにかわり、そして、ときどきは涙にうるんでみえ、多くの場合、かわききってはげしく燃えたち、まるで何ものをもってしても動かされないぞといったようなところを持っていた。

ダニエルは言葉を返そうとして、思いとまった。彼は、その和解的な顔を、なんの抵抗もしめすことなく、ジャックの激怒へ向けていた。そして、自分が悪かったといったように微笑してみせた。彼の微笑には特色があった。小さな、そして、唇のまくれあがったその口は、急に左のほうがぐっとあがり、そこから歯が見えた。そして、こうした思いがけない明朗さが、もっともらしい彼の顔だちの上に、何かしらちょうしのはずれたあいきょうらしいものを見せるのだった。

ところで、分別のある年長の彼として、たかが小わっぱの高飛車にたいして、なぜ突っかかろうとはしなかったか？　彼の教養なり、現在持っている自由なり、それはジャックにたいし、否定すべからざる年長者としての権利をゆるしてくれてはいなかったか？　しかも、ふたりがいっしょになった中学校でも、ダニエルはりっぱな生徒であり、それに反して、ジャックのほうはなまけ者だった。明敏なダニエルの頭脳は、いつも教師の要求を立ち越えていた。それに反して、ジャックは勉強に気がのらず、というより、むしろ勉強なぞはしなかった。知能に欠陥でもあったためか？　いな。不幸にして彼の知能は、勉強とはちがった方面に伸びていっていた。彼は、心の中の悪魔に、いろいろばかなことをしでかすように絶えずそそのかされていた。彼は、そうした誘惑に踏みこたえることができなかった。さらに彼自身としても、そうしたことにまったく責任を感じることなく、ただただ、自分の悪魔の気まぐれを満足させてでもいるようだった。ところがここに、きわめてふしぎな事実が見られた。それは、彼が、すべての点においてクラスのびりであったにせよ、同級生や、それに教師たちから、一種の興味をもって見られていたということだった。自分自身を、ただ習慣と規律の中に眠らせている少年たちのあいだにあって、また、年齢やしきたりの中にエネルギーをつかいはたしてしまった教師たちのかたわらにあって、この一見無愛想な顔だちでいながら、いつも淡白さと強い意思の爆発をしめしつづけていたなまけ者の少年——自分で、そして、自分自身のためだけに作った気まぐれな世界の中に住んでいるといったようなこの少年、危険などは物ともせず、なんらためらうことなく、突拍子もないできごとの中に飛びこんで行くといったようなこの少年——この小さな怪物とでもいったような少年こそは、一方では人々に恐怖の念を起こさせるとともに、他方では、無意識のうちに、尊敬の気持ちを起こさせずにはいなかった。ダニエルは、この少年、自分より粗野でいながら、しかもきわめて充実したところをもっており、たえず自分を驚かし、啓発してくれるこの少年の魅力を、最初に感じたひとりだった。それに、そういう彼自身も、何か燃えさかるものをもち、自由と反抗とにたいしてのおなじような傾向をもっていた。一方、ジャック——すなわちカトリック学校での半寄宿生（放課後、夕方まで学校にのこって自習する生徒）であり、宗教的実践を非常に重んじる家庭に人となった彼のほうでは、最初ただ、自分を取り巻いているいろいろなしがらみから逃げ出すことのおもしろさから、このプロテスタントの少年、そこに自分の世界とはちがった世界のすでに予感されているこの少年の注意をひこうと思い立ったというわけだった。だが、何週間かたつうちに、ふたりの友情は、まるで燃えうつる炎といったようなすみやかさで、たちまちふたりだけの愛情となり、ふたりとも、われ知らず苦しんでいた心の孤独にたいしての慰めを、そこに見いだすことになったのだった。清浄な愛、神秘な愛、彼らふたりの青春は、そうしたなかで、将来へ向かってのおなじときめきに燃え立っていた。彼ら十四歳の少年の心を荒らしていた、激越な、矛盾し合ったあらゆる感情——蚕を飼うとか、暗号文字といったようなものにたいする愛好をはじめ、彼らの心中の目に見えない心づかい、また毎日を暮らしてゆきながら、ふたりの心にわき起こる生活にたいするはげしい好奇心の末にいたるまで、それらあらゆる感情を、ふたりは共にすることになったのだった。

ダニエルによる無言の微笑に、ジャックの心はなごめられた。ジャックは、ふたたびパンをかじりつづけていた。顔の下の部分は——それは、チボー家特有のあごだった——かなり卑しげな感じだった。そして、ひびのきれた唇をした、いやに大きな口。それは、みにくくはあっても表情をもち、りんとして、そして肉感的な口だった。彼は顔をあげた。

「いまにわかるさ。ぼくは知ってるんだ」と彼ははっきり言いきった。「チュニスへ行ったら生活はらくさ！　頼みさえしたら、誰でも使ってくれるんだ。きんまというやつをかむんだが、これがなかなかうまくってね……給料はすぐ払ってくれるし、何から何までふんだんにあるんだ。なつめやしとか、みかんとか、ばんじろうとか……」

「向こうへ行ってから手紙を出すんだな」と、ダニエルは思いきって言ってみた。

「たぶん」とジャックは、焦茶色のひたいをゆすりながら訂正した。「ただし、ぼくたちが落ちつき、彼らに、ぼくたちが彼らなしで生活できるということがわかるようになってからだ」

ふたりは黙った。ダニエルは、もうたべるのをやめて、目の前にある大きな黒いたくさんな船体、日に照らされた石畳の上にうごめいている労働者たち、入りまじる帆柱を通してみえるすばらしい水平線などにながめいっていた。

彼は、こうした風景に気をまぎらしながら、母のことを思いだすまいと戦いつづけていた。かんじんなのは、今夜すぐ、ラ・ファイエット号に乗りこまなければならないことだった。

カフェーのボーイが、船会社の事務所を教えてくれた。船賃は、はり出されていた。ダニエルは、受付の窓口をのぞきこんだ。

「あの、お父さんから言いつかって、チュニス行き三等二枚買いに来たんですが」

「お父さんだと?」と、相手は仕事をつづけながら言った。こちらからは、書類を越えて、灰色をした髪の毛だけしか見えなかった。相手は、長いこと書き物をしていた。ふたりの子供は、気が遠くなりそうな気持ちだった。

「いいかね」やっとのことで、だが、顔をあげずに相手が言った。「お父さんにな、自分で身分証明書をもってやってくるように言ってくれ。わかったな?」

ふたりは、事務室の人たちから、じろじろながめられているのを感じた。ふたりは、返事もせずに逃げだした。ジャックは、憤然として、ポケットの底に両手を深く突っこんでいた。彼の想像力は、すでにいろいろな方策を考えていた。見習水夫として雇ってもらってはどうだろう。あるいは、荷物のようにして、食料をもって、釘づけされた箱の中にはいって行くことにしたらどうだろう。あるいは、小舟を一そう借り、毎日少しずつ旅をつづけ、夕方になったら船をとめ、オカリナを吹いては、宿屋のテラスで銭を集めて、ジブラルタル、モロッコまで行ってみることにしたほうがいいかもしれない。

ダニエルは考えこんでいた。彼は、またしても秘密なささやきを耳にした。それは、出発以来、幾度もあったことだった。だが、今度という今度、彼にはもう逃げかくれすることができなかった。どうしても、それをはっきり考えてみずにはいられなかった。心のうちでは、不満な声が、不賛成をとなえていた。

「マルセーユに、うまくかくれていてはどうだろう？」と彼は言った。

「二日もたたないうちにつかまっちまわあ」と、ジャックは、肩をすくめてみせながら反対した。

「すでにきょうだって、もうほうぼうへ手をまわしてさがさせてるにきまってらあ」

ダニエルにはジェンニーを質問攻めにしている心配した母のすがたが、目に見えるように思われた。それについでは、息子がどうなったか、生徒監のところへ聞きに出かける母のすがたが思い浮かんだ。

「ねえ」と、彼は言った。まるで息がつまりそうだった。彼は、ひとつのベンチを見つけた。ふたりはそこへ行って腰をおろした。「いま、ぼくたちは考えるべきときだと思うんだが」と、彼は勇気を出して口に出した。「つまり、二日なり三日なり、ほうぼうさがさせてやりでもしたら――それでじゅうぶんこらしたことになりはしないか?」

ジャックは、両のこぶしを握りしめた。

「だめだ、ぜったいにだめだ!」と、彼はどなった。「きみはすっかり忘れたのか?」神経質な彼のからだは、緊張のあまりベンチの上にじっとすわっていることができず、まるで丸太ん棒のようにそれによりかかっていた。彼の目は、学校、司祭、中学校、生徒監、父親、社会、ひろく一般の不正にたいしての怨恨の火花を散らしていた。「やつらはぼくたちを信じるものか!」と、彼はさけんだ。そう言う彼の声はしわがれていた。「やつら、けっしてぼくたちの《灰色のノート》をぬすみやがった! やつらにはわからない。やつらになんでわかるものか! あの司祭のやつ、どんなに手をつくしてぼくに白状させようとしたことか! あの偽善者的態度! きみがプロテスタントだからというので、きみにはどんなことでもやってのけられるように考えてるんだ!……」

彼はきまり悪さから、ちょっと目をそらした。ダニエルも目を伏せた。母に恐ろしい疑いがかけられてはいないかと思った彼は、はげしい苦しみに胸をさされた。彼はつぶやいた。

「やつら、母さんの耳に入れるだろうか……?」

だが、ジャックはそれに耳をかさなかった。

「だめだ、ぜったいにだめだ!」と、彼は言った。「きみは約束をおぼえてるな! いまもそのとおりだ! もう迫害はまっぴらだ! そうしたものとおさらばをするんだ! われらの行動により、われらがいかなるものであるか、またわれらにとってやつらが必要でないということを見せてやったら、やつらはきっと、おれたちを尊敬しだすにちがいないんだ！　要するに、解決のみちはただひとつ。逃げだすこと。そして、やつらなしで生活してみせてやること！　そうしたうえで、そうだ、やつらに居どころを知らせてやり、条件を出し、ぼくたちふたりが、永久に友人であり、かつ自由でありたいこと、ぼくたちが、終生をともにすべき仲であることを宣言してやる！」彼は、口をつぐんで興奮をおさえた。そして、落ちついた口調で言葉をつづけた。「しからずんば、さっききみにも言ったように、ぼくは自殺する」

ダニエルは、おろおろした眼差しで彼を見た。青白い、そして、黄いろいそばかすだらけの小さな顔は、厳然たる決心をしめしていて、そこには、なんら誇張らしいものも見られなかった。

「誓って言うが、ぼくは、二度とやつらの手にはつかまらない決心をしている！　それより先に、ぼくの心意気を見せてやるんだ。逃げるか、それともこれだ……」彼はそう言いながら、日曜の朝、兄の部屋から取ってきたコルシカふうの短刀のつかを、チョッキの下から出して見せた。「あるいは、これだ……」彼は、ポケットから、紙に包んでからげてある、ひとつの小さな**びん**を取りだしながら言葉をつづけた。「もし、いまきみが、ぼくといっしょに船に乗るのをいやだといったら、なんの手間ひまがいるもんか、そら！……」彼は、びんの中のものを飲むまねをした。「たちまちぱったり息が絶える」

「なんだい、それは？」とダニエルがどもりながら言った。

「ヨード・チンキだ」ジャックは、目を伏せずにきっぱり言った。

ダニエルは哀願した。

「チボー、それをぼくに渡してくれ……」

ダニエルは、恐怖を感じながらも、愛情と賛嘆とに心をゆり上げられる感じだった。彼は、ジャックに異常な魅力を感じていた。それに、改めて冒険の気持ちにもかられていた。ジャックは、すでにびんをポケットの奥ふかくかくしてしまっていた。

「歩こう」と、ジャックは、暗い眼差しをしながら言った。「腰をかけていると、どうもいい考えが出てこない」

四時になったとき、ふたりはまたもや波止場にもどって来た。ラ・ファイエット号を取りまいては、えらいざわめきが見られていた。肩に箱をひっかつぎ、まるで卵をひいて行く蟻といったようなかぎりない労働者の列が、船に渡したタラップの上を渡っていた。ふたりはジャックが先に立って、同じ橋をわたって行った。洗われたばかりの甲板の上では、幾人もの水夫たちが、ぽっかりあいている穴の上の巻揚機械を動かしながら、荷物を船倉におろしていた。ずんぐりしたからだつき、かぎなりの鼻、馬蹄形のひげ、毛の黒い、皮膚が桃色ですべすべしているひとりの男が、そでに金モールのついた青い上着を着て仕事の指揮にあたっていた。

ジャックは、いざというときになって逃げてしまった。

「あの」と、ダニエルは、ゆっくり帽子をぬぎながら言った。「船長さんでしょうか？」

するとと相手は笑った。

「なぜだね？」

「ぼく、弟といっしょに来たんです。ぼくたち、お願いがあるんです……」言いおわらないうちに、ダニエルはドジをやってのけたと思った。もうだめだと思った。「……いっしょに……チュニスにつれてっていただきたいんですが」

「このまんまでか？　ふたりきりでか？」と、相手はまばたきしてみせながら言った。その血走った目の表情、そこにある何かしら思いきった、いささか気ちがいじみたものが、言葉以上のものを語っていた。

ダニエルとしては、まえもって準備してあった嘘をつづける以外にみちがなかった。

「ぼくたち、お父さんに会いにマルセーユへきたんです。ところが、お父さんには、チュニスの稲田に働き口が見つかったんで、そして……ぼくたちにもくるようにって手紙があったんです。ぼくたち、ちゃんと船賃をもってます……」と、彼は独断でつけ加えた。だが、こうした思いつきを口にだすが早いか、そんなことを言いだしたのが、まえに言った言葉とおなじく、はなはだまずかったことに気がついた。

「よし。ところでここではどこに泊まってるんだ？」

「あの……どこにも。停車場からすぐやって来たんです」

「マルセーユには、誰も知りびとがないのか？」

「い……いいえ」

「で、今夜の船で出かけたいっていうんだな？」

ダニエルは、あわや、いいえと答えて、逃げだしかけるところだった。彼は聞きとれないほど早口で言った。

「そうなんです」

「ようし、小鳩ども」と、相手は、あざわらうような笑いを浮かべた。「おまえたち、親玉にぶつからなくてよかったぞ。親玉は、じょうだんごとが大きらいだ。たちまちおまえたちをひっつかまえて警察へひき渡し、何から何まで泥をはかせるところだった……もっとも、おまえたちみたいなひょうきん者には、そうするよりほかにないんだが」相手は、とつぜんこうさけんだかと思うと、いきなりダニエルのそでをつかんだ。「おい、シャルロ、餓鬼をしっかりつかまえろ、おれは……」

ようすを見てとったジャックは、積まれている箱の上を夢中になっておどり越え、腰をひねってシャルロの差しだす腕をよけたと思うと、三歩ばかり飛んでタラップへ駆けつけ、人足の間を猿のようにすべりおり、ぴょんと波止場に立ったと思うと、左手のほうへ向かって駆けだした。ところでダニエルは？　彼はふり向いてみた。ダニエルも逃げだしていた！　ジャックの目には、彼が、おなじく蟻どもの列を突き飛ばし、タラップをころがるようにすべりおり、波止場の上に飛びおり、右手のほうへ曲がって行くのが見えた。一方、船長と思った男は、後甲板からのぞき込みながら、逃げて行くふたりを笑いながらながめていた。ジャックは、ふたたび駆けつづけた。あとでいっしょになれるだろう。いまの場合、人込みの中にまぎれこみ、港から、一刻も早く逃げださなければ！

それから十五分ばかりして、彼はせいせいいきを切らし、人っ子ひとり見えない町はずれの往来まで来て立ちどまった。最初彼は、ダニエルがつかまったにちがいないと思って、人の悪い喜びらしいものを感じていた。むしろそうなったほうがよかったんだ。つまり、計画がだいなしになったというのも、まったくダニエルのせいではないか？　彼はダニエルを憎んでいた。そして、このまま田舎のほうに行き、ダニエルのことなどかまわずに、ひとりで逃げようと考えた。彼は、タバコを買って、ふかしはじめた。だが、ひとつの新しい町を大きくひとまわりしたのち、彼はふたたび港へもどった。見れば、ラ・ファイエット号は、あいかわらずじっと動かずにいた。彼は、遠くから、三段になった甲板全部が、押しあいへしあいの人々の顔でいっぱいになっているのを見た。船は、出帆準備をしているのだった。彼は歯ぎしりした。そして、くるりとくびすを返した。

彼はいま、怒りの気持ちを誰かの上に移してやろうと、ダニエルの姿をもとめはじめた。いくつもの町を抜け、カヌビエール（マルセーユにおける繁華な町の名）に出た彼は、しばらく人込みの中にまぎれていたが、やがてもと来た道を取って返した。町のうえには、息苦しい夕立まえの暑さがおしかぶさっていた。ジャックは汗でぐっしょりになっていた。これほどおおぜいの人の中で、どうしてダニエルを見つけることができるだろう？　見つからないだろうと思えば思うほど、見つけたい気持ちは、矢もたてもたまらないものになってきた。唇は、タバコと熱にかわいて、燃えるように熱かった。いまは人に見られることもおそれず、遠雷の音も気にならず、彼はあちらこちら駆けまわりはじめた。そして、さがし疲れると、目が痛くなって来た。とつぜん、町のようすは一変した。光は、まるで石畳からめがってくるといったようで、ほうぼうの建物の前面が、紫がかった空の上にくっきり姿を浮かびあがらせていた。夕立がせまっていた。大粒な雨が、歩道の上に落ちはじめた。彼は、つい近くにはげしい雷鳴をきいてふるえあがった。そして、柱廊のついた破風のかげ、石段にそって歩いて行った。と、ひとつの会堂の入口が、すぐ目の前にあいていた。彼は、そのなかへはいって行った。

足音が、丸天井の下に響きわたった。彼のよく知っているかおりが鼻ににおった。彼はたちまち、ほっとしたような気持ち、安心したような気持ちを感じた。彼はいま、もはや自分ひとりではないのだった。そして、この世ならぬ《者》、神によって包んでもらっていたのだった。だが、ちょうどそのとき、彼はふたたびべつの恐怖におそわれた。家出をしてから、彼は一度も神というものを考えたことがなかった。ところがいま、彼はとつぜん、自分の上に揺曳している、目に見えぬ《眼差し》を感じていた。それは、いかにかくされた意思のなかへでもはいり込み、それをあばかずにはいないところのものだった！　彼は、自分が重い罪びとであること、自分のここにいることが、この清らかな場所をけがすものであること、したがって、天の高みから、神によって電撃されてもいたしかたのないことをはっきりさとった。雨は、滝のように屋根の上を流れていた。とつぜん稲妻が、後陣の絵ガラスを照らしだした。雷鳴は、あとからあとから鳴りわたり、まるで罪びとをさがしもとめてでもいるように、丸天井のかげ、彼のまわりにとどろきわたった。ジャックは、祈禱台の前にひざまずき、からだを小さくまるめていた。そして、頭をたれ、《パテル》と《アヴェ》とを急いでいくつかつぶやいた……

やがて雷鳴の間はへだたり、まえよりも落ちついた明るさがガラス窓から流れ入り、夕立が遠のいた。これで目前の危険だけは去ったのだった。まるで、自分が何かインチキをやり、うまくつかまらずにすんだとでもいったような感じだった。彼は腰をおろした。心の底には、何か罪を犯しでもしたような感情があった。だが、うまくさばきからのがれたといったような悪がしこい得意さが、たといどんなにびくびくしていたにせよ、それに快感らしいものを伴っていた。夕方が来かけていた。彼は、何を待っているのだろう？　心が静まり、ぐったりした彼は、まるで会堂が、本来の会堂でなくなりでもしたかのように、何か漠とした不満と倦怠の気持ちのままに、内陣にゆらいでいる小さな灯火（ともしび）をみつめていた。堂守が戸をしめに来た。ジャックは、祈禱ひとつとなえず、ひざまずきもせずに、まるで盗人といったように逃げだした。彼には、神のゆるしが、この自分には得られなかったことがわかっていた。

涼風が、歩道の面をかわかしていた。散歩している人たちの数もたくさんではなかった。いったいダニエルはどこにいるのだろう？　ジャックは、彼に何かまちがいが起こったにちがいないと想像した。目には涙があふれ、それが行く手を曇らしていた。涙をせきとめようとした彼は足早に歩いて行った。もしとつぜん、ダニエルが車道を横切り、こっちへやってくる姿が見えでもしたら、彼はおそらく、なつかしさのあまり、気を失ったにちがいなかった。

アクール寺院の鐘楼で八時が鳴った。ほうぼうの家の窓には、明かりがつきはじめた。腹がへった彼は、パンを買った。そして、絶望を引きずりながら、いまはもう通りかがりの人たちをしらべてみようという気持ちもなく、そのままずんずん歩いて行った。

それから二時間ののち、彼はへとへとに疲れはて、ひっそりした並木道のなか、そこの木かげに一脚のベンチを見つけると、それに腰をおろした。すずかけの木からは、雨のしずくがしたたっていた。彼は、手あらく肩をゆすられた。眠っていたのだろうか？　それはひとりの警官だった。彼は死にそうだった。足がわなわなふるえていた。

「家へお帰り。さ、すぐに！」

ジャックは、逃げだした。もう、ダニエルのことなぞ考えてさえいなかった。もう、何も考えていなかった。足が痛くなっていた。彼は警官のいないところをよって歩いて行った。そして、ふたたび港へもどってきた。夜中の十二時が鳴っていた。

風は静まっていた。水の上には色のついた灯火(ともしび)がふたつずつ並んでゆれていた。波止場には、人っ子ひとりいなかった。彼はあやうく、小さな積荷ふたつのあいだにいびきをかいて寝ていたこじきの足にぶつかりかけた。

と、彼は、恐怖よりもさらに力強く、どこでもいい、すぐ横になって眠りたいというはげしい欲望におそわれた。幾足か歩いた彼は、その上に掛けてある大きな雨おおいのすみをもちあげ、湿った材木のにおいのするたくさんな箱のあいだによろけ込んだ。そして、そこにぶっ倒れて眠りこんだ。

こうしたあいだ、ダニエルのほうでも、ジャックをさがして歩きまわっていた。

彼は停車場付近、一夜をすごしたホテルの周囲、船会社の事務所とうろつきまわった。だが、それもむだ骨折りにおわってしまった。彼は、ふたたび波止場のほうへおりて行った。いま、ラ・ファイエット号のいたところはからになって、港はしんと静まりかえっていた。夕立のおかげで、散歩の人たちも、家への帰りをいそいでいた。

彼は、ぐったり頭をたれ、ふたたび町へもどって行った。夕立が、痛いばかりに彼の肩をたたいていた。ジャックと自分のためにいくらかの食料品を買い求めた彼は、けさふたりでよったカフェーへ行き、そこのテーブルの前に腰をおろした。雨は、どしゃぶりに降っていた。ほうぼうの家では、すだれを上げていた。カフェーのボーイは、頭の上にナプキンをかぶって、テラスの大きなテントを巻きあげにかかっていた。鉛色した空にポールの火花を散らしながら、トロリー電車が警笛もならさずに走っていた。そして、まるで鋤(すき)ですきかえしでもするように、レールの両側へ雨水を飛ばしていた。ダニエルは、足もぐっしょりぬれてしまい、こめかみのあたりも重かった。ジャックはどうしているのだろう？ 彼は、自分にとってジャックがいなくなったということより、ジャックがひとりぼっちでどんなに心配し、弱っているだろうかを想像して胸を痛めた。彼は、ジャックの姿が、きっとそこのパン屋のかどから出てくるにちがいないと思ってねらっていた。ぬれた着物をつけ、水たまりの中に靴を引きずり、とほうにくれたようすで目をきょろきょろさせているジャックの青ざめた顔、それが彼には目に見えるように思われた。彼は、なんべんも、あわや呼びかけようとした。だが、それはみんな彼の知らない子供たち、パン屋の店に駆けこんで行っては、上着の下にパンをかかえて出てくる子供たちにほかならなかった。

二時間たった。雨もやんでいた。夜になりかけていた。ダニエルは、そこから離れる気になれなかった。自分が行ってしまったすぐそのあとに、ジャックがあらわれそうに思われたからだ。やがて、彼は、停車場のほうへ向かって歩きだした。ふたりが泊まったホテルの入口には、白い丸い電灯がともっていた。町は電灯のかげも暗かった。こうした暗やみのなかで行きちがって、互いにそれとわかるだろうか？　そのとき、《ママ！》とさけぶ声がした。彼は、自分とおなじ年ごろのひとりの少年が、往来を横切ってひとりの婦人のそばへ駆けより、キスしてもらっているのを見た。親子は、彼のすぐそばを通って行った。婦人は、屋根からたれる雨水にぬれないように傘をひらいていた。息子は、彼女に腕をあずけていた。ふたりは、何か話しあいながら、やみのなかに姿をかくして行った。機関車の汽笛がきこえてきた。ダニエルは、悲しくて、がまんできなくなってきた。

ああ、ジャックについて来たのがわるかったんだ！　彼には、そのことがよくわかっていた。彼ははじめから、つまりこうしたとほうもないことをやることになったあのリュクサンブール公園での朝の出会いのときから、絶えずそのことを思いつづけていた。そうだ、彼は、しばらくも、こうした確信、すなわち、もし彼が、家出をするかわりに母のもとへ駆けつけ、すべてを説明して聞かせてやったら、母はおそらく非難しないばかりか、むしろ自分をすべての人々からまもってくれたにちがいない、そして、何ひとつ悪いことなど起こらずにすんだにちがいないという確信をすてることができずにいた。どうして誘惑に身をまかせたりしたのだろう？　彼は、自分自身を前にして、まるでなぞを前にしてでもいるような気持ちだった。

彼は、日曜の朝、玄関に立っていた自分を思いだした。彼の帰ったのをききつけて、ジェンニーが飛びだして来た。名刺受けの上には、中学校の判をおした黄いろい一枚の封筒。それはたしかに、退校の通知にちがいなかった。彼は、それをテーブルの下の敷物の下にかくした。ジェンニーは、何も言わずに、鋭い眼差しを彼の上にそそいでいた。彼に何か一大事の起こったのを察したジェンニーは、彼の部屋までついて行き、彼が、いつも小遣い銭をしまっておく紙入れを手にしたのを見とどけた。彼女は、ダニエルに飛びかかった。そして、両腕でしっかりしめ上げ、息もつけないようにだきしめながら「どうしたのよ？　何をするのよ？」と、たずねた。そこでダニエルは、自分が家出をしようと思っていること、学校でのできごと、自分があらぬ疑いをかけられていること、教師たちが自分にたいしてぐるになっていること、しばらくのあいだ、姿をかくさなければならないことなどを打ち明けてやった。すると、彼女はこうさけんだ。「ひとりで？」——「ううん。友だちといっしょだ」——「誰よ」——「チボーだ」——「あたしもつれてって！」彼は、昔やったように、ジェンニーを引きよせ、ひざの上にだいてやった。そして、声を低めてこう答えた——「じゃあ、ママをどうするんだ？」ジェンニーは泣いていた。彼は言った。「心配しないでもいいんだ。人の言うことなんか信じちゃいけない。五、六日したら手紙を出そう。そして、帰ってくる。だが、誓ってほしい。誰にも、ママにも、ほかの誰にも、ぼくが帰って来たこと、おまえが会ったこと、ぼくの行くのをおまえが知ってたことを、けっして、けっして話さないって……」彼女は、ごくんと、ひとつうなずいてみせた。彼は、キスしてやろうとした。だが彼女は、しゃがれたすすり泣きの声、おそろしいような絶望のさけび声を立てながら自分の部屋へ逃げこんで行った。彼にはいまも、その絹をさくようなさけび声が耳について離れなかった。彼は足をはやめた。

道も見ないでぐんぐん歩きつづけて行った彼は、やがてマルセーユからだいぶ離れた郊外にやって来ていた。舗道はべっとりしていて、街灯のかげもまれだった。両側の暗がりの中には、暗い穴、中庭への通路や、悪臭をはなつ廊下のようなものがあいていた。そうした家の奥のほうでは、子供たちがわめきたてていた。あやしげな酒場の中では、蓄音機がやかましく鳴っていた。彼は、くるりと向きをかえると、べつな方角へ向かって長いこと歩いて行った。やがて、信号灯(シグナル)の灯(ひ)が見えた。停車場近くへ来ていたのだ。彼はへとへとになっていた。照明時計は、一時を指していた。まだまだ夜は長いだろう。いったいどうしたものだろう？　彼は、どこかひといきつくところをとさがしてみた。ガランとした袋路地の入口に、ガス灯の火が、さやさや音をたてていた。彼は、明るいところを通りぬけ、かげになったところへ行ってうずくまった。左手には、工場の壁がそびえたっていた。彼は、それに背をもたせながら目をつぶった。

とつぜん、ひとりの女の声に、彼はハッと目をさました。

「あんた、家はどこ？　まさか、そこで寝るつもりじゃないんでしょう？」

彼女は、ダニエルを光の中へつれて行った。彼は、なんと答えていいかわからなかった。

「お父さんともめたのね、え？　そして家へ帰れないっていうわけなのね？」

やさしい声だった。彼は、相手の言ってくれた嘘をそのまま受けいれた。彼は、帽子をぬぐと、ていねいに答えた。

「そうなんです、奥さん」

彼女は笑いだした。

「そうなんです、奥さんだって！　だが、なにしろ家へ帰らなくちゃいけないわ。あたしにも、そうした経験があるんだもの。でも、どうせあとからかぶとをぬぐことがわかっていたら、ぐずぐずしててもはじまらないわ。延ばせば延ばすだけうるさくなるわよ」そして、彼がだまっているのを見て、「ぶたれるのがこわいの？」と声を低めながら、わがことのように親しみをこめた、さもお仲間とでもいったような口調でたずねた。

彼は、なんとも答えなかった。

「変な人！」と、女は言った。「強情だわね。ここで夜明かしでもしかねない！　さ、あたしんとこへいらっしゃいな。誰もいないんだから。ゆかにベッドを敷いたげるわ。なんぼなんでも、こんな子供を、往来に捨てとくわけにもいかないし！」

相手は、女のどろぼうとでもいったようすもなかった。そして、これでひとりぼっちでなくなれるんだと思うと、彼は大きな安心を感じた。彼は、「奥さんありがとう」と、言いたかった。だが、何も言わずに女のあとからついて行った。

やがて、低い入口の前までくると、彼女はベルを鳴らした。なかなかあけてもらえなかった。廊下には、洗濯物のにおいがしていた。彼は、階段に打ちあたった。

「あたし、なれてるのよ」と、女は言った。「手をおかしなさいよ」

女の手には、手袋がはめられていて、なま暖かかった。彼は導かれるままについて行った。階段の中もなま暖かかった。ダニエルには、もう往来にいないですむことがうれしかった。ふたりは、三階だか四階だかへあがって行った。それから、女は鍵を出してドアをあけ、ランプをともした。目にはいったのは、とり散らかした部屋、とり乱されたベッド。彼は、光の中で目をしばだたきながら、疲れきって、ほとんど眠ったようになって立っていた。女は、帽子をかぶったまま、ベッドの上から敷きぶとんをひとつおろし、それを隣の部屋へ引きずって行った。彼女は、ふり返りながら、笑いだした。

「あら、ぶっ倒れそうに眠いのね……さ、せめて靴だけでもおぬぎなさいよ!」

彼は、だらけきった手つきで、言われたとおりにした。ジャックも、おそらくおなじようなことを考えているにちがいない。あくる朝、きっちり五時に停車場の食堂へ行ってみよう。この考えが、まるで固定観念とでもいったように彼の頭に浮かんできた。彼はつぶやいた。

「早く起こしてほしいんですけど……」

「よくってよ。よくってよ……」と、女は笑いながら言った。

彼は、女が、ネクタイを取ってくれ、着物をぬぐのをてつだってくれたように思った。そして、シーツの上にぶっ倒れたかと思うと、前後不覚に眠ってしまった。

目をさましたとき、もう夜は明けはなたれていた。彼には、パリの自分の部屋にいるような気持がした。だが、窓掛けをとおして射す日の色を見ると、ハッと思った。歌をうたっている若々しい声が耳にはいった。彼ははじめて思いだした。

隣の部屋へのドアはあけはなされていた。ひとりの娘が、洗面台の上にこごみこんで、水をざあざあ出して顔を洗っていた。彼女はくるりとふり返った。そして、彼がひじをついて身を起こしているのを見て笑いだした。

「あらまあ、お目ざめ……」

これがゆうべの婦人だろうか？　シュミーズに短いアンダー・スカート、腕もはぎもむき出しにしているところは、まるで小娘とでもいったようだった。ゆうべは、帽子をかぶっていたので、断髪のこと、男の子のような黒い髪をブラシでうしろにかき上げていることなぞに気がつかずにいたのだった。

とつぜん、彼はジャックのことを思いだして、弱ったなと思った。

「しまった」と、彼は言った。「朝早く、駅の食堂へ行かなければならなかった……」

だが彼は、眠っているあいだに、女がからだをくるんでくれた夜具のぬくみで、まだからだを動かしたくない気持ちだった。それに、入口の戸をしめてもらわないと、起きだすだけの勇気がなかった。

そのとき女は、湯げの出る茶碗と、バターをぬった厚いパンを持ってはいってきた。

「さ！　これをたべて早く帰ってよ。あんたのお父さんと、何かいざこざをおこしたりしたくないから！」

彼は、シャツ一枚、しかも、胸のはだけたこんな姿を女に見られるのがたまらなかった。そして、女が、首や肩をむき出しのまま、自分のほうへやって来るのを見て当惑した……女は身をかがめた。彼は、目を伏せながら茶碗を手にし、ていさいを取りつくろうつもりでたべはじめた。女は、こっちの部屋からあっちの部屋へと、スリッパを引きずり、鼻歌をうたいながら、行ったり来たりしていた。彼は、茶碗から目を上げなかった。だが、女が彼のそばを通ったとき、見るともなしに、ちょうど目の高さのところを、きゃしゃな、血管の透いてみえる裸の足、それにまた、スリッパにはいりきらない赤いかかとが、黄色っぽいゆかの上をすべって行くのを見た。パンが、ぐっとのどにつまった。彼は、思いがけないことがいろいろ起こってくるであろうきょう一日のはじまりをまえにして、まったく勇気のもち合わせがなかった。そして、いまごろ、家の朝食のテーブルでは、自分の椅子だけが空席になっていることを考えていた。

たちまち、日の光が部屋をみたした。女が、よろい戸をあけたのだった。そして、女のさわやかな声は、光のなか、ちょうど小鳥のさえずりといったように響きわたった。

恋という木に根がでるならば
庭に一本植えように！……

これはあまりにつらすぎた。自分が絶望とたたかっているおりもおり、この日の光といい、このくったくのない陽気さといい……彼の目には涙が浮かんできた。

「さ、早く！」女は、からの茶碗を取りあげながら、陽気な声でこうさけんだ。

女は、彼の泣いているのに気がついた。

「悲しいの？」と、女が言った。

女の声は、まるで姉さんの声とでもいうようにやさしかった。彼は、すすり泣きをおさえることができなかった。女は、敷きぶとんのはしにすわり、彼の首筋に腕をまわし、母親らしい態度で彼を慰めてくれようとして、──それこそはあらゆる女の切り札だった──彼の首をだき、それを自分の胸にあてた。彼には、もはやちょっとの身動きさえできなかった。彼は、自分の顔にそって、またシュミーズをとおして、そこに高まり低まる女の乳房を感じ、そのぬくみを感じていた。彼は、息がつまってしまった。

「おばかさん！」女は身を引きながら、そして、胸を裸の腕でかくしながら言った。「これを見たので、いろんなことを考えたのね？　まだ年もいかないのに、こんなに悪くなっているなんて！　あんたいくつ？」

彼は、二日まえからしつづけたように、こんども思わず嘘をついた。

「十六」と、彼はつぶやくように言った。

女は、驚いてくりかえした。

「それでもう十六？」

女は、彼の手を取って、放心したようにながめていた。女は、彼のそでをおしあけ、前腕を出させた。

「この人ったら、まるで女の子みたいな白い肌をしているわ」と、女は微笑しながらつぶやいた。

女は、少年の手くびを持ちあげた。そして、頰をかしげながら、それを愛撫していた。女は、微笑をやめたと思うと、ぐっと深く息をつき、そのままその手をはなしてしまった。

彼が気がついたとき、女は、すでにスカートのホックをはずしていた。

「あったためてよ」女は、掛けぶとんの中にもぐり込みながら、ささやくようにそう言った。


ジャックは、雨でごわごわになったテントの下ではよく眠れなかった。夜の明けるずっとまえから、彼は、そのかくれがを飛びだし、朝日の光の中を歩きはじめた。《たしかに》と、彼は思った。《もしダニエルがつかまっていなかったら、きっときのうのように、駅の食堂へ行ってみる気になるにちがいない》そして彼は、そこへ五時ずっとまえに出かけていった。そして、六時になっても、まだ、そこを離れかねていた。

どう考えたらいいのだろう？　どうしたらいいのだろう？　彼は刑務所のある場所を教えてもらった。彼はわくわくしながら、そのしまっている門へ目を上げた。

たぶんダニエルはここに……彼は、長いながい壁のまわりをぐるりとまわり、鉄格子のはまった窓の上のほうを見ようとして、ちょっと遠まわりさえこころみた。そして、おそろしくなって逃げだした。

朝のうち、彼はずっと町の中を歩きまわった。日のあたる窓という窓に干されているさまざまな色の下着類が、ごみごみした小路に、まるで満艦飾でもほどこしているようだった。家々の戸口には、おかみさんたちがおしゃべりをしていた。そして、何か言い争いでもしているように、大きな声で笑っていた。思いだしたように、町のすがたが、自由さが、偶然のできごとが、彼の心に、ちょいとのあいだ陶酔の気持ちをかき立てた。だが彼の気持ちは、たちまちダニエルのうえへもどっていった。彼は、ポケットの奥に、例のヨードのびんをしっかり握っていた。もし、今夜までにダニエルが見つからなかったら、おれはひとりで自殺しよう。なにか強い力にとりすがりたいと思った彼は、少し声を張りあげて、そのことを口に出して誓った。だが、心の中では、自分の勇気について、いささか疑いをいだいていた。

十一時ごろ、彼はきのう船会社の事務所を教えてもらったカフェーのまえを何十ぺんめかに通りかかった——あ、いた！

ジャックは、椅子や、テーブルのあいだをかき分けて飛びこんで行った。ダニエルは、ずっと落ちついたようすで立ちあがっていた。

「しっ！……」

人々は、ふたりのようすに気がついていた。ふたりは、たがいに手を差しのべた。勘定はダニエルがはらった。ふたりは外へ出た。そして最初の往来をまがった。すると、ジャックは、たちまちダニエルの腕をつかみ、急にだきつき、しめ上げた。そして、ダニエルの肩にひたいをあてて、とつぜんワッと泣きだした。ダニエルのほうは泣かなかった。彼はまっさおな顔をして、そのきつい眼差しでじっと前方をみつめながら、脇腹にジャックの小さな手を押しあてたまま歩きつづけていた。そして、唇は、食いしばった歯の上にめくれあがって、ふるえていた。

ジャックは話して聞かせた。

「ぼくは、河岸（かし）の、貨物のテントの下で、まるでどろぼうみたいにして眠った！　ところで、きみはどうしていた？」

ダニエルは、おどおどした。彼は、これまで、あまりにもジャックなり、ふたりの友情なりを尊敬しすぎていた。ところでいま、彼ははじめて、何事かを、しかも重要な何事かを、ジャックにかくさなければならないのだ。ふたりのあいだの秘密の大きさ、それが彼を窒息させていた。彼は、すんでのことに自分を投げだし、すべてを話してしまおうかと思った。だが、だめだった。とてもできないことだった。わが身に起こったことの執拗な記憶を払いのけることのできなかった彼は、まるでばかのようにだまり込んでいた。

「きみは、どこで夜を明かしたんだ?」と、ジャックがくり返してたずねた。

ダニエルはあいまいな身ぶりをした。

「あの、ベンチの上でさ……それに、ぼくは大部分歩きまわっていた」

昼飯をすますやいなや、ふたりは問題を討議した。このままマルセーユにいることは安全でなかった。ふたりの行動は、すぐ人々からあやしまれずにはいないだろう。

「で?……」と、家へ帰ることを考えていたダニエルが言った。

「で」と、ジャックが答えた。「ぼくは考えてみたんだ。どうしてもトゥーロンまで行かなければだめだ。ここから、あそこを左へ、海岸にそって二、三十キロだ。子供が散歩でもしているようなふりをして歩いて行こう。あそこへ行ったら、いやというほど船がある。乗りこむ方法だってたしかにあるさ」

こう彼が話しているあいだ、ダニエルは、ふたたび出会うことのできたなつかしい相手の顔をじっとながめていた。そばかすのあとのある皮膚、透きとおってみえる耳、それに青い眼差し。そうした目の中を、彼の言うような、トゥーロン、船、沖のほうの水平線、そうしたものの影が通って行っていた。たとい自分では、ジャックのたくましい強情をみとめてやろうとしていながらも、理性は、ダニエルをいやおうなしに懐疑的にさせていた。彼には、ふたりに船出ができないだろうことがわかっていた。それにもかかわらず、彼には、たしかにそうという確信も持てずにいた。しかもときどき、むしろ思いちがいをしていたい、気まぐれでもって、理性なんか吹きとばしてやりたいとさえ思っていた。

ふたりは食料品を買った。そして歩きはじめた。女がふたり、微笑を浮かべながら、じっとふたりを見つめていた。ダニエルは、顔をあかくした。もはや彼にとって、女たちのスカートは、肉体の秘密をかくすところのものではなかった。ジャックは口笛を吹いていた。一方ダニエルは、自分がすでに血をかき立てられたという経験から、これから先、自分がひとりぼっちだということをしみじみ感じていた。ジャックは、もはや完全な意味での彼の友だちではあり得なかった。単なる子供にすぎなかった。

郊外の町々を抜けて、彼らは街道に出た。それはちょうど桃色パステルの線とでもいったように、屈曲する波打ちぎわにそって走っていた。微風は、こころよくふたりのほうへ吹いてきて、塩をふくんだ後味を残しながら吹きすぎていた。ふたりは、日の光に肩を焼かせながら、ブロンド色のほこりの中を並足で歩いて行った。海の近いということが、ふたりを夢中にさせていた。ふたりは、街道を離れると、「Thalassa！ Thalassa！」（ギリシャ語で《海だ！ 海だ！》を意味す。六カ月につづく退軍の後、アテネの将軍クセノフォンに率いられた一万のギリシャ軍が、はじめてポン・テュクサンの海を見て発したさけび）とさけびながら、両手を、まっさおな水にひたそうと高くさしあげながら、海のほうへ駆けだして行った……だが、海はなかなかつかまらなかった。ふたりが向かって行った地点では、海岸は、それまでふたりがたまらない気持ちで想像していたのとちがって、細かな砂の傾斜で海のほうへかしいで行ってはいなかった。下には、どこもかしこもおなじ広さの、深い入江といったようなものが切りたち、海は、そびえ立った岩のあいだに流れこんでいた。ふたりの足もとには、岩の砕けたやつが、防波堤の形をして、まるで隻眼巨人(シクロープ)によってつくられた突堤とでもいったように突きでていた。そして、この花崗岩の突端に打ちよせる波は、裂け、砕け、力尽きて、すべすべした岩はだにそってあわ立ちながら、陰険にはいまわっていた。ふたりは手を取りあいいっしょにうつむきこみ、大空をうつしてかがやく波のうねりをながめながら、我を忘れていた。ふたりの無言の感激には、いささか恐怖の気持ちがまじりこんでいた。

「見ろよ」と、ダニエルが言った。

五、六メートル離れていると思われるあたりに、一そうの白い小舟、考えられないほど輝きわたった小舟が、紺青(こんじょう)の海の上をすべっていた。喫水線から上の部分は緑いろ、新芽に見るような強い緑いろに塗られていた。櫂が水にはいるたびに、舟はぐいぐい前へ進んでいた。そして、船首を水からあげ、その船首のあがるたびに、緑いろの船体の水にぬれた美しさが、ちらりと、まるで火花のように見えるのだった。

「ああ、これがすっかり文章にうつせたらなあ！」と、ジャックは、ポケットの中の手帳にさわってみながらつぶやいた。「だが、いまにわかるさ！」と、彼は、肩をゆすぶりながらさけんだ。「アフリカは、もっともっとすてきなんだぜ！　さ、行こう！」

そして、彼は、街道のほうへ向かって、岩石の中を駆けだして行った。ダニエルも、あとを追って駆けて行った。ジャックは瞬間、心の重荷が取り去られ、あらゆる後悔の影が薄れ、くるおしいほどな冒険をやってみたい気持ちになっていた。

ふたりは、道が上りになり、それがひとつの部落のほうへ通じるため、直角をなしているあたりまでやって来た。ちょうどふたりが、その曲がりかどに差しかかろうとしたときだった、えらい音がきこえたので、ふたりはぴたりと足を止めた。馬、車輪、樽のごったがえしたやつが、往来の向こうのはしからこちらのはしへとぶつかりながら、目のくらむような勢いでふたりのほうへ飛んで来た。ふたりが避けようとするまもなく、この巨大なかたまりは、ふたりから五十メートルのところで鉄柵にぶつかり、それを粉砕してしまった。坂はとても急だった。荷物を満載して坂を下りかけていた大きな荷馬車は、うまくまに合うようにブレーキをかけることができなかった。車全体の重さは、それを引いていた四頭のペルシュロン（ペルシュ地方に産する馬）を押しすすめ、馬は互いに突っぱり合ってあと足ではねあがり、からみあい、ひとかたまりになったまま曲がりかどに打ちあたると、山と積んだ樽を頭からひっかぶり、ぶどう酒の雨をほとばしらせた。人々は、気ちがいのようになり、ぎょうさんな身ぶりをしながら、これら血まみれになった鼻づら、しり、ひづめ――ほこりの中にはげしく波うっているそうしたひとかたまりのもののあとを、何かさけびながら走りまわっていた。と、たちまち、馬のいななき、騒がしい鈴の音、鉄柵をけるにぶいひづめの音、がちゃがちゃいう鎖の音、馬子たちの罵声にまじって、あらゆる物音を圧してしゃがれたあえぎが聞こえてきた、それは、先引きの馬、ねずみ色の馬、ほかの馬たちにふみにじられ、足をからだの下に折り、胸は馬具にしめつけられて苦しがっている一頭の馬のあえぎだった。ひとりの男が、斧を振りかざして騒ぎの中へ飛びこんで行った。男はよろけて、ばったり倒れ、そうしてふたたび起きあがった。彼は、芦毛の馬の耳を引っつかみ、斧をふるって幾度となくくびきを打った。だが、それは鉄でできていた。刃は、たちまちこぼれてしまった。ふたりには男が気ちがいのような顔をして立ちあがり、斧を壁のほうへほうりつけるのが見えた。一方、あえぎは、鋭い、そして、だんだんせわしさを加える口笛のような音にかわっていき、そして、鼻づらからは、どっとばかりに血が吹きだした。

このとき、ジャックには、何から何までがゆらめいたように感じられた。彼は、ダニエルのそでにつかまろうとした。だが、その指はぎこちなく、両足には力がうせて、彼はへたへたと倒れてしまった。人々が彼をとり巻いた。彼は、小さな庭の中へつれて行かれ、花の咲いた中、ポンプ井戸のそばにすわらされた。そして、つめたい水でこめかみをひやしてもらった。ダニエルもまた、彼とおなじほど青くなっていた。

ふたりがふたたび街道にもどったとき、村の人々はみんな樽のあとしまつにかかっていた。馬は、立たせてもらっていた。四頭のうち、三頭はけがをしていた。その中の二頭は、前足が砕け、ひざの上にのめっていた。四番めのやつは死んでいた。ぶどう酒の流れるみぞの中に横たわり、ねずみ色の頭をぴったり地につけ、舌をだらりと出し、海緑色の目をなかば閉じ、両足をからだの下に折りまげ、さも死にながらも、屠殺者の運び去るのになるたけ便利なかっこうを取ろうとしてでもいるようだった。その毛むくじゃらのからだが、砂と血とぶどう酒によごれてじっと動かずにいるのにたいして、道のまん中にほったらかされ、そこでぶるぶるふるえているほかの三頭の馬のあえぎが、不思議な対照をしめしていた。

ふたりの少年には、馬子のひとりが、たおれた馬の死骸のほうへ歩みよって行くのが見えた。髪の毛は汗でぴったりくっつき、日やけしたその顔のうえの、怒りの表情が何かしら厳粛であるのを見ると、彼が、このできごとにどんなにたたきのめされているかがうかがわれた。ジャックは、その男から目をはなすことができなかった。彼には、男が、手にしていたタバコの吸いがらを口にくわえ、つづいて芦毛の馬のほうへかがみ込み、すでにまっ黒に蠅のたかっているふくれた舌を持ち上げ、口の中に人さし指を突っこんで、黄ばんだ歯を出させているのが見えた。男はしばらくのあいだ、からだをふたつ折れにしたまま、紫色になった馬の歯茎にさわっていた。と思うと、やがて身を起こし、誰か自分に親しみをしめしてくれるものはいないかと見まわしながら、ふとふたりの少年の目に行き会った。男は、蠅のたかろうとしているあわだらけな指をふこうともせず、唇のあいだからタバコの吸いかけを取りだした。

「七歳にもなっていなかったんだ！」と、男は、肩をゆすりながら言った。それからジャックに向かって「四頭のなかで一番のやつ、一番の働き手だった！　取りかえしがつくものなら、このおれの指を二本、それ、これとこれとだってやっちまうんだが」それから、くるりと顔をふり向けると、苦しそうな微笑を浮かべて、つばをはいた。

少年たちは、また歩きはじめた。感激もなく、胸をしめつけられるような気持ちで。

「死んだ人、ほんとの死んだ人って見たことがあるかい?」と、ジャックがたずねた。

「ない」

「とても妙なもんだぜ!……ぼくは、ずっとまえから考えてたんだ。ところが、ある日曜日、公教要理(カテシスム)の時間に、行ってみたんだ……」

「どこへ?」

「モルグ(身元不明の死体公示所)へさ」

「きみ? ひとりで?」

「もちろんさ。ねえおい、死んだ人って青いもんだぜ。とても考えられないほどなんだ。まるで蠟か、それともこんにゃく版用のねんどででもできてるようなんだ。ちょうどふたつあった中のひとつのやつは、切り傷だらけの顔をしていた。だが、もうひとつのやつは、まるで生きてるようだった。まぶたもあいたままだった。まるで生きてるようだった」と、彼はくりかえした。「それでいて、それはやっぱり死んでたんだ。一点疑う余地はなかった。最初ひと目見たときから、なんということなしにそう思われたんだ……ほら、見たろう? あの馬の場合だっておんなじさ……ああ、自由に出歩けるようになったら」と、彼は言葉を結んだ。「いつか日曜に、ぜひモルグへつれてってやろう……」

ダニエルは、ぜんぜんほかのことを考えていた。ちょうどふたりは、一軒の別荘のバルコニーの下を通りかかっていた。別荘の中では、子供の手でピアノをひいているのが聞こえていた。ジェンニー……彼には、目のまえに、《何をしようっていうの?》と、さけびながら、大きく見ひらいた灰色の目に涙を浮かべたジェンニーのすっきりした顔だち、じっと見すえたその眼差しが思いだされた。

「きみ、妹がいなくって寂しいとは思わない？」と、ダニエルは、しばらくしてから言った。

「そりゃあね！　とりわけ姉さんがほしいな。ジャックは説明した。なぜって、妹みたいなやつならいるんだから」ダニエルは、おどろいて彼を見つめた。「家政婦の《おばさん》がね、自分の小さな姪のみなしごをぼくのところで育ててるんだ……十になるんだ……ジーズ……ジゼールっていう名なんだがね、みんながジーズって呼んでるのさ……ぼくにとって、妹みたいな少女なんだ」

とつぜん、彼の両眼は涙に曇った。彼は、考えをまとめることをしないで言葉をつづけた。「きみは、ぼくとは育てられ方がちがってる。まず第一に、きみは通学生だ。きみには、もうぼくの兄きとおなじような生活ができてる。きみは、まあ、何をしたってかまわないんだ。きみには、たしかに分別がある」彼は、さびしそうなちょうしでこう言った。

「では、きみはそうじゃないのか？」と、ダニエルが真剣なちょうしで問いかけた。

「ぼくか？」ジャックはまゆをひそめながら言った。「ぼくは自分でも、手のつけられない人間だということがよくわかっている。と言って、ほかにどうともなりようがないんだ。たとえばだ、ぼくはときどき腹を立てる。と、何もかもわからなくなる。物をこわす。なぐる。聞いていられないようなことをわめき立てる。窓から飛びだすか、人をなぐり殺すことくらい平気でできそうに思われるんだ！　こんなことを話すっていうのも、きみに何から何まで知ってもらいたいと思ってなんだ」と、彼はつけ加えた。そして、そういう彼は、自分をぶちまけて話すことに、明らかに、何かさびしい快感を味わっていたのだった。「ぼくには、これがはたしてぼくの罪であるかどうか知らない。たとえば、きみといっしょに暮らしてでもいたら、おそらくこれほどではないと思うんだが。だが、それもどうだか……夕方、家に帰るとき、みんなは、ぼくにたいしてどんな対し方をすると思う？」彼はしばらく黙っていたあとで、遠くのほうを見ながら言葉をつづけた。「パパはけっしてぼくをまじめに受けとってくれない。学校では、坊主たちは、パパへのおべっかから、このぼくが、とても手のつけられない子供のように言っている。つまり大司教区に勢力のあるチボー氏の息子の教育に、とても苦心してるっていうところが見せたいからだ。わかる？　パパはいい人だ」彼は、とつぜん興奮しながら言いきった。「よすぎさえする、たしかに。だが、なんて言ったらいいだろう……年から年じゅう仕事なんだ。やれ委員会、やれ演説。明けても暮れても宗教なんだ。しかも、《おばさん》までがそうときている。ぼくに何か悪いことが起こると、何から何までが神さまの罰だ。わかるかい？　晩飯をすますと、パパは書斎にとじこもる。《おばさん》は、ジゼールの部屋で、彼女を寝かせつけながら、ぼくの勉強の暗唱をさせる。もっともぼくは、何ひとつおぼえないが。《おばさん》は、ぼくをひとりでぼくの部屋におきたくないんだ！　家のやつらは、ぼくに電気をさわらせまいとして、部屋のスイッチをとっちまった！」

「だって兄さんは？」と、ダニエルがたずねた。

「アントワーヌか、うん、彼は話せる。だが、いつも家にいたことがないんだ。それに、はっきりそうとは言わないが――ぼくの想像では、兄きにしても、やっぱり家が楽しくないんだ……ママが死んだとき、兄きはもう大きくなっていた。なにしろ、ぼくより九つ年上なんだから。だから、《おばさん》にしても、たいしておさえるわけにいかなかった。ところがぼくは、つまり《おばさん》に育てられたっていうわけなんだ」

ダニエルは黙っていた。

「ところが、きみの場合はこれとちがう」と、ジャックはくり返した。「きみは、ちゃんとしたとり扱いをうけている。育てられ方がちがってるんだ。本についても同様だ。きみは、どんな本でも読ませてもらえる。きみの家では、書庫は自由にされている。ところが、ぼくには、赤と金の表紙の大きな本、さし絵のはいったジュル・ヴェルヌ（フランスの科学小説家、『八十日間世界一周』の著者）ふうの本、愚にもつかない書物だけしかあたえられない。ぼくが詩を書いてることさえ、家の連中は知らないんだ。知ったら大騒ぎをするだろう。とうてい彼らにわかりっこないんだ。ことによると、そのことを学校へ知らせて、もっときびしく監督させようとするかもしれない……」

かなり長い沈黙がつづいた。街道は、海から離れて、コルク・オーク（コルクの木。その樹皮でコルクをつくる）の林のほうへあがって行っていた。

ダニエルはとつぜん、ジャックのそばへよって、腕をつかんだ。

「ねえ」と、彼は言った。感動している彼の声は、低い荘重な響きをつたえていた。「ぼくはいま、これから先のことを考えてるんだ。どうなるだろう？　ぼくたちふたりも、別れさせられることになるかもしれない。そこでだ、ずっとまえから、何か保証とでもいったように、つまりぼくたちふたりの友情の永遠の固めとでもいったように、ひとつ頼みたいと思っていたことがあるんだ。約束してくれないか、きみの第一詩集をぼくにささげてくれるって……そう、名まえなんか書かずに、ただ《わが友へ》とだけ。――どう?」

「約束しよう」と、ジャックは、そりかえりながら言った。なんだか自分が、大きくなりでもしたようだった。

林のところまでくると、ふたりは木立のかげに立ちどまった。マルセーユの町の上には、入り日がまっかに燃えていた。

ジャックは、くるぶしのはれてきたのを感じて、靴をぬいで草の上に横になった。ダニエルは、ぼんやり彼をながめていた。と、たちまち、彼は、その小さな裸の足、かかとの赤くなっている足から目をそらした。

「や、灯台だぜ」ジャックは、腕を差しのべながら言った。ダニエルは、ハッと身をふるわせた。遠く、磯の上に、まをおいたひらめきが、硫黄色の空に放射していた。ダニエルは、なんとも答えなかった。

ふたりがふたたび歩きはじめたとき、あたりはすでにひんやりしていた。ふたりは、野天で、どこかのやぶかげで寝るつもりだった。だが、夜はかなり冷えそうだった。

ふたりは、一言もかわさず半時間ばかり歩いたすえ、塗りたての、白い一軒のはたご――海へ向かって段々づくりに突きでた見晴らしのあるはたごの前に出た。あかあかと灯をつけた部屋の中には、誰もいないようだった。ふたりは相談した。ひとりの女が入口でためらっているふたりを見つけて、ドアをあけてくれた。女は、ふたりのほうへ、ガラスのランプを差し上げた。その油が、まるで黄玉のように輝いていた。小がらな、年のいった女だった。そして、金の耳飾りが、女の耳から、その寸づまりの首の上へたれていた。

「おかみさん」と、ダニエルが言った。「ベッドのふたつある部屋がありますか？」そして、向こうからきかれるのを待たずに「ぼくたち、兄弟で、トゥーロンにいるお父さんのところへ行くんですが、なにしろマルセーユを出たのがおそかったんで、とても今夜じゅうにトゥーロンまでは行けそうにないんで……」

「まあおどろいた！」と、女は笑いながら言った。若々しい、陽気な目つきをした女で、手を振りながら話していた。「トゥーロンまで歩いてだって？　夢みたいな話じゃないの！　だが、そんなことはどうでもいいわ！　お部屋ですね、二フランですよ、まえ勘定で……」そして、ダニエルが紙入れを出しかけると、「スープができてますからね。おふたり分持ってきてあげようかね？」ふたりは、持ってきてもらうことにした。

部屋というのは屋根裏の部屋のことだった。そして、そこには、まえに人の寝たままのシーツをかけたベッドが、たったひとつあるきりだった。ふたりは言い合わせたように、何も言わずに、手早く靴をぬぎ、着のみ着のままで、背中あわせに、夜具の下にもぐりこんだ。ふたりはなかなか寝つかれなかった。天窓からは、月があかあかとさしていた。隣の物置の中では、にぶい響きを立ててねずみどもが走りまわっていた。ジャックは、にぶくひかっている壁の上に、おそろしい蜘蛛が歩いているのをみつけた。そして、まっくらなやみの中で、気が遠くなりそうだった。彼は、ひと晩じゅう寝ずにいようと決心した。そして、ダニエルは、心の中で、彼の肉体のおかしたあやまちのことを思いだしていた。そして、想像力をはたらかして、その思い出を、心の中に組みたてていた。彼は、ぐっしょり汗をかき、好奇心と、嫌悪の気持ちと、快感とにあえぎつづけて、身を動かす気にさえなれなかった。

あくる朝、ダニエルが——ジャックはまだ眠っていた——そうした妄想からのがれようとベッドをはなれかけたとき、とつぜん、何かざわつくけはいが耳にはいった。ひと晩じゅう、取りつかれでもしたように自分のしたことを考えつづけていた彼の心にまず思い浮かんだのは、ああした放埒（ほうらつ）をやってのけたため、ことによったら裁判所へ引いて行かれるのではないだろうかということだった。まさにそのとおり。かけがねのとれているドアがあくと、そこへ、かみさんに案内されたひとりの憲兵がはいって来た。憲兵は、はいりがけに、ひたいをかまちに打ちあてて、軍帽をぬいだ。

「ちょうど日が暮れかけるころ、ほこりだらけになってやって来ましたね」と、かみさんは、あいかわらず笑いながら、そして、耳飾りをふるわせながら説明していた。「まあ、靴をごらんくださいましよ！　まるでおとぎばなしみたいなことを申しましてね、歩いてトゥーロンまで行くんだなんて！　そして、この大きいほうのが」と、彼女は、腕輪の音のする腕をダニエルのほうへさし伸べて「部屋代とスープ代の四フラン五十のお勘定に、百フラン札を出したんでございますよ」

憲兵は、気のないようすで、帽子のちりをはらっていた。

「起きろ！」と、気むずかしそうに彼は言った。「そして、姓名、そのほか洗いざらい申したてるんだ」

ダニエルは、ためらっていた。だが、ジャックは、すでにベッドからとび起きていた。半ズボンに靴下、まるで闘鶏とでもいったかっこうで突ったっていた彼は、この大きな相手をのそうとでもするかのように、相手の鼻づらへこうどなった。

「ぼくは、モリス・ルグラン。あれはジョルジュ。ぼくの兄きです！　お父さんがトゥーロンにいるんです。じゃまをしないで行かせてください！」

それから何時間かののち、ふたりの少年は、馬にだくをふませた荷馬車の上で、ふたりの憲兵と、手錠をはめたひとりの無頼漢のあいだにはさまれながら、マルセーユ入りをしたのだった。拘置所の高い門がひらかれ、それが重くしめられた。

「はいれ」と、ひとりの憲兵が、独房の戸をあけながら言った。「ポケットをすっかりあけて、中のものを全部ここへ出す。夕食のときまでいっしょにおいてやる。そのあいだに、申したての真偽を一応調べる」

だが、夕食の時間よりもずっとまえに、憲兵班長が呼びに来て、ふたりは、中尉の部屋へつれて行かれた。

「言いのがれをしても役に立たんぞ。おまえたちはつかまったんだ。日曜以来さがしていた。おまえたちはパリから来たんだ。おまえ、大きいほうの、おまえはフォンタナン。そしておまえは、チボーだ。良家の子弟が、不良少年みたいにうろつきまわるとはなにごとか！」

ダニエルは、憤然とした態度を見せていた。だが彼は、ホッとしたような気持ちだった。これで万事は終わったのだ！　すでに母にも彼の生きていることがわかり、そして、母は自分を待っていてくれる。わびをしよう。そして、母に許してもらえたら、すべては、そうだ、すべては帳消しにしてもらえるのだ。いま、おそろしい気持ちで思いだしているあのことも、誰にも打ち明ける気持ちになれずにいるあのことも。

ジャックは、歯を食いしばっていた。そして、ヨードのびん、それに、短刀のことなどを思いながら、からっぽになったポケットの底で、絶望的にげんこを握りしめていた。彼は、頭の中で、復讐と逃走についての無数な計画を組みたてていた。そのとき、中尉は言いそえた。

「ご両親も、きみたちが死んだと思っておいでになる」

ジャックは、おそろしい目つきで中尉のほうを見た。そして、顔を引きつらしたと思うと、たちまちワッと泣きだした。彼にはいま、父、《おばさん》、小さいジゼールのことが思いだされた……彼の心は、愛と悔恨とでいっぱいだった。

「行ってやすむがいい」と、中尉が言った。「あした、なにかと手配をしてやる。命令のくるのを待ってるんだ」

八

二日このかた、ジェンニーはうとうとしつづけていた。非常に弱ってはいたが、熱はなかった。フォンタナン夫人は、窓のそばに立って通りの物音に耳をすましていた。ふたりの少年を受けとるためには、アントワーヌが、マルセーユへ行ってくれていた。そして、今夜はふたりをつれて帰って来ることになっていた。いましがた九時を打った。もう帰って来そうなころだ。

彼女は、ハッと身をふるわせた。家の前に、車がとまりはしなかったかしら？

彼女は早くも踊り場（バリエ）のところに立って、両手を欄干にかけていた。犬が飛びだして行った。そして子供を歓迎しようとほえていた。フォンタナン夫人はかがみこんだ。と、たちまち、そこに、寸のつまったわが子の姿が見えた——まごうかたなく、つばで顔はかくれているがわが子の帽子、そしてまた、着物の下の肩のゆれ。ダニエルが先頭で、つづいてアントワーヌが、その弟の手を引いてあがってくる。

ダニエルは目をあげた。そして、母の姿を見た。真上にあった踊り場の明かりは、彼女の髪を白く照らしだし、またその顔を暗く見せていた。彼は、母がおりて来ることとばかり思って頭をさげてのぼりつづけていた。もう足があがらなかった。そして、頭もあげられず、息もできなくなって帽子をぬいだとき、彼は、母の胸にひたいをおし当て、ぴったり母にくっついている自分の姿を見いだした。だが、彼の心は苦しかった。ほとんど何のうれしい気持ちにもなれなかった。この瞬間をあれほど待ちこがれていたことから、いまでは無感覚になってしまっていた。そして、母からからだを離したとき、すまなく思う顔の上には、涙一滴見られなかった。かえって、階段の壁にもたれていたジャックのほうが、とつぜんしゃくり泣きをはじめていた。

フォンタナン夫人は、息子の顔を両手でかかえ、それを自分の唇のほうへ引きよせた。なにひとつ小言を言うでもなく、彼女は長いながいキスをあたえた。だが、おそろしかったこの一週間の不安は、アントワーヌにたずねかける彼女の声をふるえさせていた。

「ふたりとも、晩のご飯はすんでおりますかしら？」

「ジェンニーは？」と、ダニエルは、つぶやくような声で言った。

「助かったよ。いまベッドの中にいるんですよ。会いに行っておやり。待ってたんだから……」そして、ダニエルがその場をはずして居間のほうへ駆けだしたとき「静かに！　気をつけて！　とても悪かったんだから……」

ジャックは、すぐにかわいてしまった涙の中から、わが身のまわりを、物めずらしげにながめまわさずにはいられなかった。これがダニエルの家なのか、これが毎日、学校から帰ってきた彼のあがる階段なのか、これが彼の通る玄関なのか、そして、ここにいる人こそ、ダニエルが妙になつかしそうな声を出して《ママ》と呼ぶところの人なのか？

「ジャックさんは？」と、夫人がたずねた。「おばさんにキスしてくださらない？」

「さあ！」と、アントワーヌが微笑しながら言った。

彼は弟を押しやった。夫人はなかば腕をひらいていた。ジャックはその中へすべりこみ、さっき、ダニエルが長いことひたいをあてていたところへ自分のひたいをおしあてた。フォンタナン夫人は、思い沈んだようすで、褐色の髪をした彼の小さな頭を、指でなでてやっていた。そして、思わず微笑の浮かんだ顔を、アントワーヌのほうへふり向けた。それから、アントワーヌが、入口に立って、早く帰りたそうにしているのを見ると、夫人は、自分にかじりついている少年の上を越して、はっきりした、そして、無限の感謝をこめた身ぶりで、彼のほうへ両手を差しだした。

「さ、おふたりとも、お帰りなさい。お父さまがやっぱりお待ちですからね」


ジェンニーの部屋の戸はあけはなされたままになっていた。

ダニエルは、片ひざをつき、頭を夜具におしあて、両手の中に妹の手を握りしめ、それに唇をおしあてていた。ジェンニーは泣いていた。両腕を差しのべたため、彼女の上半身は、まくらから斜めにはずれていた。彼女のがまんしていることは、その顔の上からもうかがわれた。やせてしまったため、その表情は、ただ目の中にうかがわれるにすぎなかった。それは、まだいかにも病人らしい、あいかわらず少しきつい、意思のつよそうな眼差し。すでに一人まえになった女の眼差し、なぞのような、そして、青春と明朗さとを、永久になくしてしまったような眼差しだった。

フォンタナン夫人も、ふたりのそばへやって来た。彼女は、身をかがめ、ふたりの子供を腕にだきしめてやりかけた。だが、ジェンニーをつかれさせては。彼女は、ダニエルをうながして立ちあがらせ、自分といっしょに部屋に来させた。

部屋は、たのしそうに照らしだされていた。フォンタナン夫人は、お茶のテーブルを用意していた。トーストにしたパン、バター、蜜、それにダニエルの好きな、ナプキンにつつんであたためた焼き栗がたくさん。湯わかし（サモワール）がのどを鳴らしていた。部屋の中はあたたかかった。いかにもなごやかな気分だった。ダニエルは、気分が悪くなりそうだった。彼は手で、母の差しだしてくれた皿をことわった。そのときの、母のがっかりしたようす！

「どうしたの？　さあ、お母さんと今夜いっしょにお茶を飲んでくれるだろうね？」

ダニエルは、じっと母を見つめていた。母の、どこが変わったというのだろう？　母は、いつもとおなじく、熱いお茶をちびりちびりと飲んでいた。そして、茶から立つ湯げの中でほほえみながら、光線をうしろにしょった母の顔は、いつもにくらべて少し疲れたように見えながらも、やはりいつものとおりの顔だった！　ああ、この微笑、このじっと見すえている眼差し……彼には、これほど優しくしてもらうことが、やりきれないような気持ちだった。彼は、顔を伏せ、焼パン（ロチ）をひとつ手にすると、てれかくしにたべているようなふりをした。母は、微笑をつづけていた。母は、うれしさのあまり、何ひとこと口をきこうとしなかった。そして、あふれかえる愛情を、着物のひだのあいだにうずくまっている犬のひたいをなでることでまぎらしていた。

彼はパンを下においた。そして、あいかわらず目を伏せたまま、ちょっと顔色を変えてこう言った。

「で、学校では、お母さんに、なんて言ったんです！」

「わたしはね、そんなことは嘘だと言ってやったんだよ！」

ダニエルは、ようやく顔をやわらげた。目をあげると、母の眼差しと行き合った。それは、すっかり信じきっている眼差しにちがいなかった。だが、何をおいても、何か聞きたいといったような眼差し、自分の信頼のまちがっていなかったことをたしかめたいといったような眼差しだった。ダニエルの眼差しは、こうした無言の質問にたいして、ぜんぜん疑いを差しはさむ余地のない答えをあたえた。するとは母は、うれしそうな面持ちで、彼のそばへあゆみより、いかにも低い声でこう言った。

「なぜわたしに、何から何まで話してくれなかったの？　ああして……」

だが、彼女は、そのまま言葉を切って立ちあがった。玄関のところでかぎの鳴る音がしたからだった。彼女は、そっと半ばひらかれたドアのほうをふり向きながら、身を動かさずにいた。犬は、しっぽを振りながら、なじみの訪問者を迎えようと、声も立てずにすり抜けて行った。

はいって来たのはジェロームだった。

彼は微笑していた。

外套も着ず、帽子もかぶっていなかった。いかにもくったくのないかっこうをしているところ、どうみてもこの家に住んでいて、自分の部屋から出て来たばかりというようだった。彼は、ちらりとダニエルを見た。だが、そのまま妻のほうへ歩いて行き、彼女の取らせた手にキスをした。身のまわりには、美女桜やレモンのにおいがただよっていた。

「ただいま！　ところで、何事が起こったんだね？　すまなかったな、じっさい……」

ダニエルは、うれしそうな顔をして父のそばへよって行った。彼は、これまでずっと父が好きだった。もっとも、幼いころには、彼は、長いこと母にたいして、ぜったい的な嫉妬ぶかい愛情をしめしていた。そして、いまでも、父が、母と自分との和楽の生活に加わっていないことを、それと意識せずに満足に思っていた。

「なんだ、おまえ、家にいたのか！　これはいっぱいかつがれたな」と、ジェロームが言った。彼は息子のあごに手をやった。そして、まゆげをよせながら、じっと息子をながめたあとで、キスをしてやった。

フォンタナン夫人は、立ったままだった。「今度帰って来たら、追いだしてやるから」と、彼女は思っていた。彼女の恨みの気持ちにしても、そうした決心にしても、ともにくじけていたわけではなかった。だが、帰りかたがあまりにとつぜんだった。しかも、面くらわずにいられないほどの磊落さでのしかかられたというわけだった！　彼女は、夫から目を離すことができなかった。彼女には、自分が、夫の帰りによってどんなに転倒させられてしまっているか、自分が、夫の眼差し、夫の微笑、夫の身のこなし、そうしたものの持つ甘い魅力にいまでもどれほど動かされているかがわからなかった。彼こそは、まさに彼女が心をこめての男だった。ふと、彼女の心に、金のことが思いうかんだ。そして、彼女は、自分の態度が受け太刀気味であることの言いわけとして、その問題にすがりついた。そういえば、彼女はその朝、最後のたくわえに手をつけはじめていた。もはやぐずぐずしてはいられなかった。ジェロームにも、それがわかっていて、その金を持って来てくれたにちがいないのだ。

ダニエルは、なんと答えていいかわからぬままに、くるりと母のほうを向いた。すると彼は、清らかな母の顔の上になんといっていいか、きわめて特殊な、うちとけた影をみとめ、はずかしさといったような気持ちで顔をそむけた。彼は、マルセーユで、眼差しの無邪気さまでをも失ってしまっていたのだった。

「しかっていいかな?」と、ジェロームは、歯をきらきらさせながら、ちらりと微笑してみせた。

母は、すぐには返事をしなかった。だが、やがて、復讐するとでもいったちょうしで、犬に向かってこう言った。

「ジェンニーは、すんでのことに死にかけていたんですのよ」

父は、ダニエルをはなすと、一歩母のほうへ踏みだした。そのびっくりしたような顔をみると、彼女はすぐ、最初彼に味わわせてやろうと思っていた苦しみを帳消しにするため、すっかり許してやろうという気持ちになった。

「でも助かりましたの」と、彼女はさけんだ。「安心なすって」

母は、早く父を安心させてやろうと、つとめて微笑してみせていた。そして、この微笑こそ、事実一時的な降伏を意味するものにほかならなかった。そのことは彼女にもわかっていた。すべては、彼女の威厳をそこなうことになるのだった。

「顔を見せておやりになって」と、彼女はジェロームの手がふるえているのを見てつけ加えた。「でも、お起こしにならないで」

何分かの時がたった。フォンタナン夫人は、椅子に腰をおろしていた。ジェロームは、つまさきで歩きながらもどって来た。そして、そっとドアをしめた。その顔は、愛情に輝き、不安の影はすっかり消えていた。彼はふたたび笑っていた。そして、目ばたきしてみせながら、

「寝てるところを見せたかったぜ！　横のほうへずり落ちて、頰を手の上に載せてるんだ」彼は、手で、眠っている少女の優しい姿を描いてみせた。「やせはしたが、それもかえってよかったくらいだ。まえよりずっときれいになってはいないかな？」

彼女は、なんとも答えなかった。彼は、おどおどしたようすで夫人をながめていた。そして、しばらくしてからこうさけんだ。

「やあ、テレーズ、おまえ、髪がまっ白になっちゃったな？」

彼女は立ちあがった。そして、ほとんど駆けるようにして、切込み暖炉の前へ行った。そうだった、わずか二日で、これまで少しは銀髪があったにせよまだブロンドといってよかった彼女の髪は、びんのあたり、顔のまわり、すっかり白くなってしまっていた。ダニエルは、自分が帰って来たとき、どうもちがったように見え、不審に思われていたことが、はじめて理解できたように思った。フォンタ

ナン夫人は、あっけにとられたような、痛恨といったような感じで自分の姿をながめていた。そして、鏡の中に、自分のうしろに立っているジェロームの姿をみとめた。彼は、微笑して見せていた。そして、彼女は、自分でもそれと気づかず、その微笑によって慰められた。彼は、ふざけてでもいるかのようなようすだった。そして、光の中にゆらいでいる、色の薄れたひとふさの髪を指でさわった。

「じつに、きみ、よく似合うなあ。じつによく……さあ、なんといったらいいか？　きみの眼差しの若さを語っている」

彼女は、さも申しわけをするといったように、とりわけ、心の中のひそかなうれしさをかくそうとして言った。

「あなた、わたし、ずいぶんつらい思いをして、幾日も、幾晩もすごしましたのよ。水曜日には、あらんかぎりの手当をつくして、一時はもう、とてもだめだと思いました……わたしひとりだったんですもの！　わたし、とてもこわくって！」

「かわいそうに！」と、彼は勢いこんでさけんだ。「すまなかったよ。そうと知ったらわけなく帰って来られたのに！　おまえも知ってる例の件で、リヨンへ行っていたんだ」いかにも落ちつきはらったそのちょうしに、彼女はしばらく、自分の記憶の中をさがしかけたほどだった。「きみに、行き先の番地を知らせておかなかったことをすっかり忘れていた。それに、まる一日のつもりで出かけたんだし。おかげで、帰りの切符もむだにしちゃった」

このとき、彼は、ずいぶんまえからテレーズに金をやっていなかったのを思いだした。といって、彼には、向こう三週間、びた一文はいる見込みがなかった。彼は、ポケットの金をかぞえてみた。そして、にが笑いせずにはいられなかった。だが彼は、それを、すぐさまこんなふうに説明した。

「しかも、何から何までうまくいかなくってね。目ぼしい取引きもできなかった。ぎりぎりまでうまくいきそうにみえていながら、けっきょく手ぶらで帰って来たんだ。リヨンの大銀行家のやつらときたら、取引きにかけてはみみっちく、疑心暗鬼というやつなんでね！」そして、彼は旅の話をしはじめた。彼は、いささかのよどみも見せず、おもしろおかしく、滔々（とうとう）と話を組みたてていた。

ダニエルは、父の話を聞いていた。生まれてはじめて、彼は父を前にして、はずかしいといった気持ちを感じていた。つづいて彼は、なんという理由もなく、なんの連関もなしに、あそこの女が話していた男、あの女の言ったあの人なるもの――すでに妻もあり、何か仕事を持っていて、彼女の語るところによれば、夜出るときはかならず《本妻がいっしょ》なので、いつも午後にやって来るというその男――その男のことを思いだしていた。そして彼には、おなじく父の話を聞いている母、その母親の顔までが、なんだかわからないものに思われだして来た。ふたりの視線が行き合った。母は、息子の目の中に、何を読みとったというのだろう？　おそらくは、ダニエル自身もはっきり考えないでいたような考えか？　彼女は、いささか不愉快そうにせきこみながら、

「さ、行っておやすみ。とてもくたびれているんだから」と、言った。

彼は言われたとおりにした。だが、いざキスをしようと身をかがめたとたん、死にかけているジェンニーを前に、誰からも見すてられていた哀れな母の姿を思い浮かべた。しかもその原因はと言えば

自分にあるのだ！　母をさんざん苦しめたことを思うと、愛の思いはそれだけさらにつのってきた。彼は、しっかり母をだきしめた。そして、その耳もとに、

「許して」と、言った。

母は、彼が帰って来てから、このひとことをこそ待っていた。だが、いま聞いたその言葉は、それがもっと早く言われたのにくらべて、そのうれしさにおいて劣っていた。そのことは、ダニエルにもわかっていた。そして彼は、それを父のせいにしてうらんでいた。フォンタナン夫人もそれに気づいていた。だが、彼女は、それをふたりきりでいるうちに言ってくれたらよかったのにと、息子をうらんでいた。

だだッ子気分が半分、いじきたなさが半分で、ジェロームは茶盆のそばへ行き、ふざけたように口をとがらせながら、そこにあるものをしらべあげた。

「いったい誰のためなんだね、この山のような甘いものは？」

彼の笑い方は、かなりわざとらしかった。顔をぐっとうしろへそらすので、目玉がずっと目のすみのほうへよるのだった。そして《ああ！》というのを三度、それをひとつずつ、少し誇張して言った。

「ああ！　ああ！　ああ！」

彼は、茶卓のそばへ丸椅子を引きよせ、すでに紅茶わかしに手をかけていた。

「そんなぬるいの、召しあがってはいけませんわ」と、フォンタナン夫人は、サモワールに火をつ

けながら言った。そして、夫がそれに反対すると、「ほっといてちょうだい」と、にこりともせずに言った。

いまはふたりきりだった。彼女は、湯わかしのようすを見ようとしてそばへよった。すると彼女には、夫のからだから出るラヴァンドや美女桜の酸っぱいようなかおりがにおってきた。夫は、なかば微笑を浮かべながら、彼女のほうへ顔を上げた。その表情には、やさしい悔恨のいろが見えていた。夫は、手に、さも小学生のようにバターのついたパンのきれを持っていた。そして、あいているほうの腕を、彼女の胴にまわした。その気軽さ、そこには、その道にかけての長い修練のあとがしめされていた。フォンタナン夫人は、手荒くからだを振りほどいた。自分の弱さがわかったからだ。夫が腕をひっこめると彼女は、すぐにもどって茶を入れた。それからまたもやそばを離れた。

彼女は、しゃんとして、そして悲しそうなようすだった。こうしたのんきやが相手では、彼女の最もはげしい恨みにしても、けっきょくまけざるを得なかったのだ。彼女は、こっそり、鏡の中の夫の姿をしらべてみた。こはくいろの顔、切れながの目、からだのそらしぐあい、それにいささかエクゾティックな服装の趣味にいたるまで、それらは彼のなげやりなのんきさに、何かしら東洋ふうといった味をそえていた。彼女は、かつて婚約時代の日記の中に《あたしの愛する人は、インドの王子さまのようにおきれい》と、書いたことを思いだした。彼女は、じっと夫をながめた。しかも、その目は、昔のままの目つきだった。夫は、低い腰掛けの上に斜めに腰をおろし、両足を火のほうへ突きだしていた。彼は、きれいにつめのみがかれた指先で、つぎからつぎへと焼パンにバターをぬり、蜜をなすり、上体を皿の上にかがめては、わしわしパンを食っていた。たべてしまうと、茶をひと息にぐっと飲みほし、舞踊家のようなしなやかさでからだを起こし、ひじかけ椅子のところに来て横になった。まるで、何事もなかったようなようすだった。昔のまま、ここに暮らしているとでもいうようだった。彼は、ひざに飛びあがって来たピュスをなでてやっていた。左手の人さし指には、母のかたみの大きな紅縞(べにじま)めのうがはまっていた。それは漆黒の地に、ガニメード（ジュピターのわしにのせられ、酌取りになるためオリンポスに運ばれたというトロイの王子）の半面像を乳色にもりあげた古い浮彫り(カメオ)の指輪だった。それは、長くはめていたために薄くなり、手を動かすたびに、指骨のはしからはしまで、行ったり来たりするのだった。彼女は、夫の一挙一動を見まもっていた。

「タバコをすってもいいかね、きみ?」

まったく手のつけられない彼、それでいてじつにあかぬけのした彼だった。《きみ(アミ)》という言葉の言いかたにもいっぷうあって、最後のeの音をまるでキスするとでもいったように唇のはしに残すのだった。シガレット・ケースが指のあいだに光った。聞きおぼえのあるパチンという音。そして、タバコをひげの下にすべり込ませるとき、手の甲で軽くたたいてみるのも、いつも見なれたくせだった。それに、マッチをするとき、たちまち炎のような色をした、ふたつの透明な貝殻にかわるあの静脈のすいている細長い手、それもどんなに見なれたものだろう!

彼女は、つとめて心を静めながら茶卓を片づけようとした。この一週間で、彼女はすっかり打ちのめされていた。そして、あらゆる勇気を必要とするいまがいま、彼女はそれに気がついたのだ。彼女は椅子に腰をおろした。もう何を考えるということもなく精霊の命令さえもほとんど聞きとれないかのようだった。主は、自分を、彼がいつか《善》の道に立ちもどろうとするときのたすけとして、この罪びとのそば、放埒のきわみにあってもなお真情に心を動かされているこの罪びとのそばにお置きになったのではあるまいか？　ちがう。目下の務めは、家を守り、子らを守ることにある。彼女の考えは、しだいに立ちなおっていった。自分が、自分自身考えていたよりずっとしっかりしているということ、彼女にとっては、そのことがたしかにひとつの慰めだった。ジェロームがいなかったあいだ、彼女が祈りに照らされた心でくだしていた判断、それは、いま考えても、けっしてまちがってはいなかったのだ。

ジェロームは、しばらくまえから、考えこんだように、じっと彼女のほうをながめていた。やがて彼の眼差しは、深い真剣な表情を取ってきた。彼女は、その煮えきらない微笑、その用心深い眼差しを知っていた。彼女はこわくなった。なるほど彼女は、自分でもそうしようと思わずに、こうした気まぐれな顔のしめす意味を絶えず読みわけることができていた。だが、彼女の直観は、いつもある一定の限度で行きづまり、それから先、彼女の洞察力は、ただいたずらに流砂の中にもがくよりほかになかった。そして、しばしば、《いったいこの人は、しんそこどういう人なんだろう？》と、考えずにはいられなかった。

「そうだ、ぼくにはよくわかってるんだ」と、ジェロームは、ちょっと取りすました憂鬱さらしいものを見せながら話しはじめた。「テレーズ、きみはぼくをきびしくさばいている。それはぼくにもわかっている。わかりすぎるくらいわかっている。もしこれがよその人だったら、ぼくにしてもきみのようにさばくにちがいないんだ。そして、こう思うにちがいない。罰あたりめ！　そうだ、罰あたりだ――せめて言葉のうえだけでもはっきり言おう。ところで、どういうふうに説明したらいいかな？」

「そんなこともうけっこうですわ」と、妻がさえぎった。そして、とりつくろうことをしらないその顔は、彼に向かって哀訴していた。

彼は、安楽椅子にのけぞりながら、タバコをふかしていた。両足を組み合わせているので、ものうげにゆすっているほうの足が、くるぶしあたりまで見えていた。

「安心してもらいたい、ぼくは議論しようというんじゃない。事実は、れっきとしてこのぼくを非難している。だがね、テレーズ、そうしたことにも、ひと目でそれとわかる以外に、ほかにも理由があり得るのさ」彼は、悲しそうに微笑した。彼は、自分のあやまちをあげつらい、道徳的見地からいろいろ論弁することが好きだった。おそらく、そうすることによって、自分に残っているプロテスタントふうな考え方を満足させているにちがいなかった。「しばしば」と、彼は言葉をつづけた。「悪しき所業には、悪しき動機という以外に、ほかに動機があり得るんだ。人はとかく、本能のはげしい満足といったように考えやすい。だが、事実においては、往々、いや、しばしば、それ自身としてりっぱな感情――たとえばあわれみといった感情に動かされてやっていることがあり得るんだ。こうして、自分の愛している人に苦しい思いをさせる場合にも、往々、べつなひとり――ふしあわせで、身分も卑しく、そして、ちょっと目をかけてやりさえしたら救ってやれるといったような人をあわれんでの場合があり得るんだ……」

　彼女の頭には、河岸（かし）ですすり泣いていた、あの職業婦人のことがちらりと思い浮かんだ。と、ほかの思い出までも浮かびあがってきた。マリエット、ノエミ……彼女は、ゆれているエナメルの靴の上に、じっと目をすえていた。靴の上には、ランプの光が、つぎつぎに、ついたり消えたりしていた。彼女は、新婚まもないころ、いつも急に差し迫った仕事の上での宴会を言いたてて出かけて行った夫が、明け方になって帰ってくるなり、自分の部屋にとじこもり、夕方まで寝ていたことを思いだした。また、あの差出人不明のいろいろな手紙のこと。彼女は、それを読むなり、破って火に燃やし、足の下に踏みにじってしまった。だが、それのもたらす毒素の力は、そうしてみたところで少しも薄めることができなかった！　彼女は、ジェロームが、次から次へと女中をたぶらかし、自分の女友だちを誘惑するのを見せつけられていた。こうして彼は、彼女の周囲をからにさせていったのだった。彼女は、初めのころ、思いきって口にだしてみた非難の言葉のこと、礼儀をわきまえ、じゅうぶんな寛容さをもって口をきいていた慎重ないさかいのことなどを思いだした。それというのも、目の前の夫が、いつも気まぐれに動かされやすく、ほんとうのことを言わず、とかく言を左右にする男であり、ピューリタンふうないきどおりを見せて事実を否認したかと思うと、たちまち子供のように、もうこれからはけっしてしないから、と微笑を浮かべて誓ったりする男にほかならなかったからだった。

「そうなんだ」と、彼は言葉をつづけた。「ぼくは、きみにたいしてすまないことをした。ぼくは…

…そうなんだ、はっきり言わせてもらおう。だが、テレーズ、ぼくはきみを心から愛しているんだ。ぼくはきみを尊敬している。そして、きみに同情している。そして、ほかの何ものも、そうだ、ぼくはぜったいに誓っていい、一度だって、ひとときだって、ほかの何ものも、ぜったいきみへのぼくの愛の気持ちにくらべることのできるものはなかった。その愛の気持ちこそ、ぼくの心の底に、ただひとつ、しっかり根をおろしているものなんだ！

ああ！　ぼくの生活はけがらわしい。ぼくはそれを弁護しようとは思わない。ぼくは気はずかしく思っていた。だが、きみ、信じてくれ、もしきみにして、ぼくのやっていることだけでこのぼくを判断するというのだったら、それは、あれほど公平ないつものきみとして、大きな不公平をおかしていることになると思うな。ぼくは……ぼくは、けっして自分のおかしているあやまちそのもののような人間ではないんだ。どうも説明がまずいな。わかってもらえそうもないな……なにしろ、すべては、とても口では言えないほどこみいってる。そして、自分にも、それがチラリとしか見わけることができずにいるんだ……」

彼は口をつぐんだ。そして、首をたれ、ぼんやり前をみつめながら、さも、自分の生活のかくれた真実にすこしでも触れたいと思い、そのむなしい努力に疲れはてた人とでもいったようだった。やがて、彼は顔を上げた。そして、フォンタナン夫人は、自分の顔の上に、ジェロームの眼差しのそそがれているのを感じた。それは、見たところ、いかにも軽やかな眼差しではあったけれど、すれちがいざまに人の眼差しを引っかけずにはいないような力、言わば、それをかっさらってでもしまいかねないような力、人の眼差しをして、それからのがれるまえに金しばりにあわせてしまうような力を持っていた。それはちょうど、磁石がとても重い鉄片を引きつけ、それを持ちあげ、やがてそれをとり落としてしまうのにそっくりだった。ふたりの目は、からみあったと思うと、そのまま離れた。《そういうあなたも》と、彼女は思った。《あなたのやっておいでの生活より、すぐれたかたではないかしら？》

それでいながら彼女は肩をすくめてみせた。

「きみは信じてくれない」と、彼はつぶやいた。

彼女は、つとめてなにげないちょうしで話そうとした。

「わたし、あなたを信じてあげたいと思いますの。そして、いままでにも、ずいぶんたびたび信じてあげてきました。でも、そんなことはもうたいしたことではありませんの。あなたが悪いとか悪くないとか、責任があるとかないとか、そんなことは別として、ねえあなた、してはならないことがいままでにもなされ、いまも毎日なされ、これからだってなされてゆくというわけですの——そして、それは、もうこれ以上なされてはならないと思うんですわ。はっきりお別れしようじゃありませんん？」

彼女は、四日以来、このことをしっかり考えていた。それは、その言葉を口にした彼女のひややかな口調からもうかがわれたので、ジェロームとしても、それを見あやまったりしなかった。そのおどろき、懊悩を見てとった彼女は、そのまますぐに言葉をつづけた。

「もう今日では、子供というものがあります。それもまだ小さいうちだったら、何もわからず、ただわたしだけが……」だが彼女は、《苦しむ》という言葉を口にしかけて、はずかしくなって思いとまった。「あなたがわたしにおあたえだったふしあわせ、それは、このわたしの……愛の気持ちをそこねるだけではすみませんよ。不幸は、あなたとごいっしょに、ここにはいって来ていますわ。それは、この家の空気の中にはいって来ていますの。それは、子供たちの吸う空気の中にまではいって来ていますの。わたし、これ以上がまんができません。たとえば、ダニエルが、今週なにをしました？　主は、わたしがあの子にゆるしてやったように、あの子がわたしにあたえた痛手のことをゆるしてくだすっておいでになります。あの子はいま、その正しさを失わなかった心の中で、そのことを悔やんでいるのですわ」――そう言った彼女の眼差しは、きりっとした、そして、ほとんどいどみかかるようなひらめきを見せた。――「でも、わたしはっきり信じていますの、あなたがお見せになったお手本こそ、知らず知らずにあの子をあやまらせることになったんだ、って。お仕事のため……というので、いつも姿をお消しになるあなたさえ見なかったら、ああまでのんきに、わたしが心配するだろうことなど考えてもみずに、どうして家出をしたりする気になれたでしょう？」彼女は立ちあがり、ためらいがちにひとあし切込み暖炉（シュミネ）のほうへ歩みより、そこの鏡のなかに自分の銀髪をみとめた。そして、いささか夫のほうへ身をかがめながら、だが、そのほうを見ることなしに言葉をつづけた。「あなた、わたしよく考えてみました。今週、わたしはとても苦しみました。祈りました。考えてもみました。わたし、もうあなたをおとがめしようとは思いません。それに今夜は、そんな気力さえありますまい。なにしろ疲れきっているんですもの。ただ、わたしとしては、事実をま正面からごらんになっていただきたいと思いますの。わたしの言うのがもっともなこと、ほかに解決の道のないことをわかっていただけると思いますわ。ごいっしょの生活……」――彼女は言葉をつづけた――「……これから先のごいっしょの生活、この先のこっている生活、ねえあなた、わたし、もうそれだけでもたまりませんの」彼女は、からだをこわばらせ、両手を大理石の棚の上にのせた。そして、からだと手とでひと言ひと言をきざみながら「わたし――もう――たくさんですわ」と言った。

ジェロームは答えなかった。だが、彼女が身をしりぞけようとするまもなく、彼はその足もとにぱったり身を伏せ、いやおうなしに許しをもとめる子供とでもいったように、彼女の腰のあたりに頰をあてた。彼は、口ごもりながらこう言った。

「どうして、別れたりできるだろう？　どうして、子供たちなしで暮らしていけるだろう？　そうなったら、一発ぶっ放さずにはいられまい」

彼女は、ほとんど微笑しようとさえ思った。こめかみにあててみせた彼のしぐさは、それほどまでに子供っぽかった。彼は、スカートにそっておろしていたテレーズの手くびを取ると、その上にむちゃくちゃにキスをした。彼女は、手をふりほどくと、まったくうわの空の、ぐったりしたような手ぶり、母親のそれを思わせるような手ぶり、思い返すことのない別れの決心をしめす手ぶりで、指の先で彼のひたいをなでてやった。彼は、思いちがいをして顔を上げた。だが、彼女の顔をみると、自分の虫のよかったことに気がついた。

彼女は、すでに身をのけていた。彼女は、手を、ナイト・テーブルの上にあった旅行用の置き時計のほうへのばした。「二時！」と、彼女は言った。「ずいぶんおそうございますわ。では……あした」

彼は、時計の面に目を投げた。そこからさらに、まくらをひとつおいた、もう寝るばかりにととのえられている大きなベッドのほうへ目をうつした。

ちょうどそのとき、彼女は言葉をつづけた。

「車が見つからなくなりましてよ」

彼は、まのぬけた、驚いたような身ぶりをした。彼は今夜、この家から出て行こうなどとは夢にも考えていなかったのだ。第一、これは自分の家ではないだろうか？　彼の部屋はちゃんと、彼の帰りを待っている。廊下ひとつまたぎさえすればいいのだ。これまでにも、幾度となく、四日、五日、六日留守にしたあとで、帰って来たこともあったではないか？　そうしたとき、彼は、パジャマのまま、そして、ひげをきれいにそった顔をして、子供たちのあいだに見られる、自分にも何かわからぬ暗黙の不信任を一掃するため、じょうだんを言い、高笑いをしながら、朝食の席にもついたのだった。夫人にも、そうしたことがすっかりわかっていた。そして、彼の顔の上に、彼が心に思っていることのあとをたどっていた。しかし、彼女は断然ゆずらなかった。そして、玄関のほうへ向かったドアをあけた。彼は、内心かなりまいりながらも、まるで友人が帰って行くようにして、出て行った。

彼は、外套のそでに手を通しながら、彼女が一文なしであることを思いだした。彼は、ほかにこれといって金のはいる当てもなかった。だが、ポケットに残っていた何枚かの紙幣を、きれいさっぱり投げだしてもいいと思った。だが、そうしたよけいなことをして、ことによると自分の家を出て行くことに変化をもたらしたりはしないだろうか、その金をもらったため、彼女が、自分をこれほどきっぱりつき出すことを思いとどまったりはしないだろうか、それを考えると、自分のやりかたの気品といったようなことが懸念された。さらにはテレーズが、自分に何か下ごころがあってやったもののように思いはしないかということも懸念された。そこで彼は、ただこう言うだけにしておいた。

「まだいろいろ話したいこともあるんだが……」

それにたいして、彼女はすぐ、別れるという決心のこと、受け取るべき金のことを考えながら、次のような返事をした。

「あしたにしましょう。ね、来てくだすったら、あしたお会いしますわ。そして、いろいろお話ししましょう」

彼は、気のきいた出て行きかたをしたいと思った。そして、彼女の指先を取って、それを唇へもっていった。ふたりのあいだには、ためらうかのような一瞬があった。だが、彼女は、手を引っこめ、踊り場(バリエ)へ向かったドアをあけた。

「では、きみ、さよなら……あしたね」

彼女の目には、最後に、彼が階段をおりて行きながら、帽子を上げ、微笑しながら首をかしげてみせているのが見えた。

ドアがしまった。いま、フォンタナン夫人はひとりきりだった。彼女はひたいをかまちにあてた。

大戸のしまるずしんという響きが、眠っている建物をふるわせて、彼女の頬にまでつたわってきた。見ると、敷物の上、はでな手袋がひとつ落ちていた。彼女は、ついふらふらとそれを拾い、それを口にあて、においをかぎ、皮とタバコのにおいを通して、彼女の知っているさらに微妙なほかのにおいを求めていた。やがて彼女は、鏡にうつった自分のしぐさに顔をあからめ、その手袋を下におとすと、手あらく電気のスイッチを切った。そして、彼女は、暗やみによって解き放たれ、手さぐりで、子供部屋へかけつけた。そして、長いこと、子供たちの寝息に聞きいっていた。

九

アントワーヌとジャックは、ふたたび待たせてあったつじ馬車に乗った。馬は、のろのろと歩いて行って、割栗石（わりぐりいし）の道にひびくひづめの音が、まるでカスタネットを鳴らしてでもいるようだった。町は暗かった。しめっぽいラシャのにおいが暗い馬車の中ににおっていた。ジャックは泣いていた。疲労と、それにまた、あの母親のような微笑を浮かべたダニエルの母にだかれたことが、彼の心に後悔の気持ちを生まれさせていた。父に、なんと答えたものだろう。彼は、気が遠くなりそうな気持ちだった。そして、その気持ちをそのままみせながら、胸の苦しみを兄の肩によせかけた。兄は、彼を腕の中にだいてくれた。それは、ふたりのあいだに、気づまりがかげをひそめた、そもそも最初のことだった。

アントワーヌは、なんとか言おうとした。だが、彼は、あらゆるおもわくをかなぐりすてることができなかった。その声には、むりにつくった、ちょっとぎこちないような親しさがあった。

「さあ、さあ……これですっかりすんだんだ……いつまでもくよくよしていてもはじまらないんだ……」

彼は口をつぐんだ。そして、弟が、上半身をもたせかけてくれているのに満足していた。だが、そうした彼は、好奇心にそそのかされていた。

「いったいどうしたっていうんだね？」彼は、まえよりもやさしいちょうしでたずねた。「どうしたんだね？　あの子にさそわれたのかね？」

「ううん、あいつはいやだって言ったんだ。ぼくがひとりで思いたったんだ」

「どうして？」

返事がなかった。アントワーヌは、不器用な質問をつづけた。

「おれには、中学校での関係っていうやつがわかってるんだ。おれにだったら、何から何まで話したってだいじょうぶさ、どういうものかわかってるから。とかく誘惑が多いんだ……」

「彼はぼくの友だちなんだ。ただそれだけ」ジャックは、兄の肩にもたれたままでこう言った。

「では」と、兄は思いきって口にだした。「いったい……ふたりでいっしょに何をするんだ？」

「話さ。あの子は、ぼくをなぐさめてくれるんだ！」

アントワーヌは、それ以上深入りする気になれなかった。「ぼくをなぐさめてくれる……」そう言ったジャックの言葉のちょうしが、彼の心を悲しくさせた。「では、きみはそんなにさみしいのか？」こうたずねようとしたとき、ジャックは元気につけ加えた。

「それに、何から何まで言っちまうと、あの子は、ぼくに詩を直してくれてるんだ」

アントワーヌはそれに答えた。

「そうか、それはいい。とても気に入った。きみが詩人だなんて、ねえ、おれはとてもうれしいぜ」

「ほんと？」と、弟がききかえした。

「そうなんだ、とてもうれしい。それに、じつはまえからわかっていたんだ。きみの作った詩もいくつか読んだ。散らかしてあるのを見つけたのさ。きみには何も言わなかったが。なにしろ、どういうわけかわからないが、おたがい話をするおりもなかった……だが、なんだぜ、とても気にいったやつがあったぞ。たしかにきみには才能がある。それをしっかりはたらかせるんだ」

ジャックは、からだを乗りだしていた。

「ぼくはとても好きなんだ」と、彼はつぶやくように言った。「好きな美しい詩のためだったら、どんなものだって惜しくないんだ。フォンタナンは、ぼくに本を貸してくれるんだ――兄さん、誰にも言わない？――あの子はぼくに、ラプラード、シュリ・プリュドム、それにラマルティーヌや、ヴィクトル・ユゴーや、ミュッセなんかを読ませてくれた……ああ、ミュッセ！　兄さん、この詩を知ってる？

青白き夕暮れの星よ、西方のとばりより
きらめけるひたいを見する、あわれこのはるかなる使者のきみよ……

それに、これなんか。

われと偕寝の伴侶なりしひと、われを去り
きみが蓐にうつりてより、主よ、すでに久しくなりぬ。
しかも、われらがえにしはいまも堅し
すなわちかのひとはなかば生き、このわれはなかば死したり……

それに、ラマルティーヌの『十字架』の詩。ねえ、兄さん知ってる？

その最後のいぶきと、最後のわかれの言葉をこめて
まさに死に行かんとするひとの唇より、わが手に取りし十字架よ……

すてきだろう、すっきりしていて！　読むたびに、ぼくはふらふらしちまうんだ」彼の胸はあふれて来た。「家では」と、彼はつづけた。「誰もわかってなんかくれやしない。もしぼくが詩をつくってるなんてわかったら、きっとじゃまされるにきまってるんだ。ところが、兄さんは――兄さんは、あの人たちとはちがってる」――こう言いながら、彼はアントワーヌの腕を胸におしあてた。「ぼくは、ずっとまえからきっとそうだろうと思っていた。でも、兄さんはなんとも言ってくれなかった。それに、兄さんは家にいないことが多かったし……ああ、ぼくはうれしい、とても！　なんだか、いままでひとりだった友だちが、ふたりになったような気持ちだ！」

あわれカイザルよ、いまここに眼青（まみあお）きゴールのむすめありて……


と、アントワーヌは微笑しながら口ずさんだ。ジャックは、さっとからだをはなした。

「兄さん、あのノートを読んだんだな！」

「つまり、こういうわけなのさ……」

「そして、お父さんは？」と、少年は絶叫した。それがあまり悲痛なちょうしだったので、アントワーヌは口ごもった。

「さあ……でも、少しは……」

彼は、言いおわるだけのひまがなかった。少年は、馬車の奥に身を投げだし、両手で頭をかかえながら、クッションの上に身もだえした。

「卑怯だ！　先生なんて、ねこっかぶりだ、げすやろうだ！　ぼくは、自習室のまん中で言ってやる、どなってやる。顔につばをはきかけてやる！　学校から追いだされたってかまうものか！　ぼくはまた逃げてやる！　ぼくは自殺してやる！」

少年は足を踏みならしていた。アントワーヌは、ひと言も言いだすことができなかった。と、とつぜん、少年はだまり込み、すみのほうに身をうずめ、目をしっかり押さえ、歯をがちがち鳴らしていた。だまったのは、おこっていることより心配だった。おりよく馬車は、サン・ペール町にさしかかった。いよいよ家へ帰って来たのだ。


ジャックが先へ馬車からおりた。アントワーヌは、ひょっとして、弟がまたやみの中へ逃げだしたりはしまいかと、金をはらいながらも目をはなさなかった。だが、少年は、すっかりまいっているようだった。旅に疲れ、悲しみにもまれて、まるで町っ子といったようなその顔は、すっかりかわききっていた。そして、じっと目を伏せていた。

「ベルをおさないか?」と、アントワーヌが言った。

ジャックは、返事もしなければ、身動きもしなかった。アントワーヌは、家の中へはいらせた。弟は、おとなしく言われたとおりにした。彼は、家番であるフリューリンクおばさんの好奇心のことされ忘れていた。彼は、自分が無力であるという事実に打ちたおされていた。エレヴェーターは、彼をまるで藁くずのように持ちあげた。そして、彼を、父の監督圏内に投げだした。四方八方、もう抵抗なんかできたものではなく、彼は、家庭の、また社会の、そのからくりのとりこになってしまっていた。

だが、さてわが家の踊り場の上に立ったとき、そして、玄関に、父が客をよんでの晩餐会を催すときのようにつりしょくだいがあかあかとともされているのをながめたとき、彼は、さも昔ながらのならわしに身を包まれでもしたように、何かしらなつかしかった。そして、玄関の奥から、《おばさん》が、いつもよりちんまりした姿、いつもよりよたよたしながら、かるくびっこを引きながらやってくるのが見えたとき、彼は、すなおな気持ちで、自分をむかえようとひろげてくれているその小さな黒ラシャの両そでの中へ飛びこんで行きたくなった。彼女は、ジャックをしっかりつかまえると、むさぼるようにキスをした。そして、たどたどしいその声は、かん高い一本ちょうしで、念仏でもとなえるようにこうのべ立てているのだった。

「なんていうことをなさった！　ひどいかたですよ！　わたしたちを悲しませて、死なせようとでも思ったんですかい！　もう、人情っていうものを忘れておしまいだったんですかい？」そう言いながらも、彼女の雌鹿のような両眼には、涙があふれていた。

ちょうどそのとき、書斎のドアがふたつにあいた。そして、そこからぬっと父が姿をあらわした。最初の一瞥で、彼はジャックの姿をみとめた。そして、思わず心を動かさずにはいられなかった。だが、彼は立ちどまると、まぶたをとじた。彼はさも、客間にその複製が掛けられているグルーズ

（フランス十八世紀の画家）の絵にあるように、罪をおかした息子が、自分の膝下にひざまずきにくるのを待っているとでもいうようだった。

息子にはそれができなかった。それというのは、書斎の中がお祭りのようにあかあかとかがやき、台所へ向かった戸口にはふたりの女中の顔が見え、さらにチボー氏が、夕方の気楽ななりをしているはずのこの時刻に、フロックコートなどを着ていたから。こうした、常とちがったいろいろなことが、ジャックの気持ちを麻痺させた。彼は、《おばさん》の抱擁からぬけだした。そして、あとしざりした彼は、何ものかを待ちかまえるような気持ち、泣きだしたいような気持ち、同時にからからと笑いだしたいような気持ちを感じながら（彼の心には、それほどまでに愛情が鬱積していた）、顔を伏せたまま立っていた。

だが、チボー氏の最初のひとことは、ジャックを家からおい立てようとしてでもいるようだった。並みいる人たちの前でのジャックの態度、それが彼の寛容な気持ちを、一瞬にして吹きとばしてしまった。彼は、不逞な息子に思い知らせてやるため、ぜんぜん相手にしない態度をよそおった。

「おまえか」と、彼はアントワーヌだけに向かって言った。「どうしたかと思っていた。あちらでは、万事つごうよくはこんだかな？」そして、ぶよぶよな自分の手を握りに来たアントワーヌから肯定の返事を聞くと「いや、ありがとう。こんなことまでさせて……こんなありがたくないことまで！」

彼は、しばらくのあいだためらっていた。彼は、いまでも、あやまちをおかした息子が飛びついてくるものと思って待っていた。彼は、女中たちのほうをちらりと見た。ついで、目を息子の上へうつした。ジャックは、陰険なようすで、じっと敷物をみつめていた。そこで、父は、はっきり怒りに燃えて言い放った。

「こうしたばかを二度とくり返させないためにどうしたらいいか、その処置は、いずれあした申し渡す！」

そして《おばさん》が、ジャックを父の腕の中へ押しやろうと一歩前へ踏みだしたとき——それは、頭をさげているジャックにもそれとわかった。ジャックは、それをば最後の救いとして待ちかまえていたのだった——チボー氏は、手を前へだし、威厳をもっておばさんをおさえた。

「ほっといてくれ、ほっといて！ ろくでなしだ。人情のないやつだ！ こいつのためにみんなが心配した、その心配に値しないやつなのだ」そして、口をはさもうとしていたアントワーヌのほうをふりかえって「アントワーヌ、すまないが、もうひと晩、このろくでなしをあずかってくれんか。あしたになって処分するから」

ちょっとしたためらい。アントワーヌは、父のほうへ歩みよった。ジャックは、おそるおそるひたいをあげた。だが、チボー氏は、返答をゆるさないといったような勢いでこう言った。

「いいな、アントワーヌ、わかったな？ やつの部屋へつれてってくれ。こんな騒ぎはもうたくさんだ」

ジャックを前に立てて歩かせたアントワーヌの姿が、さも死刑囚の通り道とでもいったように、壁によって女中たちの並んでいる廊下の中に見えなくなったとき、チボー氏は、目をとじたまま、自分の書斎へもどって行った。そして、はいったあとからドアをしめた。

彼は、書斎をそのまま通りぬけて、寝室へはいって行った。それは、かつて彼の両親たちの部屋だったところであり、彼がまだきわめて小さい時分から、ルアン近くにあった父の工場の事務所の中で見慣れていたところのものであり、そして、彼がそれらを相続し、法律の勉強に出てきたとき、パリに移させたところのものだった。マホガニー箪笥がひとつ、ヴォルテール風の安楽椅子が数脚、青いレプス織の窓掛け、父と母とがつぎつぎに、まず父が、ついで母がそこでなくなったベッド。そして、チボー夫人の手によって刺繍をほどこされた敷物のついた祈禱椅子の向こうには、キリストの像がかかっていた。それは、何カ月かのあいだをへだてて、彼が、自分で、父と母との手の中に握らせてやったものだった。

彼はいま、ただひとり、本来の自分にかえって、肩をまるめていた。その顔からは、疲労の仮面がすべり落ちでもしたようだった。顔だちには、素朴な表情があらわれ、それが彼を、かつての子供時代の肖像に近づけさせていた。彼は、祈禱椅子に歩みよると、身を投げだすようにひざまずいた。ぼってりしたふたつの手が、すばやく、いかにもなれた手つきで組み合わされた。ここでの彼の一挙一動、そこには、何かしら楽々とした、人には知られぬ、おのれひとりのものといったようなものがうかがわれた。彼は、無感動な顔をふりあげた。そして、その眼差しは、まゆの下から流れでて、まっすぐ十字架へ向かってそそがれた。彼はいま、主に向かって、その失望と、その新しい試練とをささげていた。そして、あらゆる悲しみの洗いさらされた心の底から、人の子の親として、迷える子のために祈っていた。彼は、ひじかけの下、宗教書のあいだから、数珠を取りだした、それは、彼が最初の聖体拝受をしたときのもの、珠は四十年にわたってすりへったため、するすると指のあいだをすべっていった。彼は、ふたたび目をとじた。だが、ひたいだけは、キリストの像のほうへ向けていた。彼の日常生活の中で、こうした彼の内面的な微笑、飾りけのない幸福な顔を見たものはひとりもなかった。彼は、なにやら唇でつぶやいていた。そのため、下顎のあたりには少しふるえが見えていた。そして、くびをカラーから抜きだそうと、一定の間をおいて頭を動かすので、それはまるで、聖壇のまえで香炉を振ってでもいるようだった。

翌日、ジャックは、ぽつねんと、乱れたベッドの上に腰かけていた。休暇でもないのに、こうした自分の部屋の中ですごしているこの土曜日の朝、彼にはこの先、自分がどうなるのかがわからなかった。彼は中学校のこと、その歴史の時間のこと、ダニエルのことなどを考えていた。彼は、ふだん聞きなれない、そして、さも自分に敵意を持っているかのようなさまざまな朝の物音、敷物の上をはくほうきの音、吹き通す風にきしみを立てるドアの音などに聞きいっていた。彼は、けっしてまいってしまってはいなかった。むしろ興奮していたのだった。だが、こうした無為の状態、家の中にただよっているはっきりしないこうした威嚇は、彼をたまらなく不愉快にさせた。彼は、救いとでもいったように、こうした息づまるような愛情の過剰を一気に発散させてくれる何か献身的なこと、何か英雄的な、思いきった犠牲といったようなもの、そうしたことのできる機会を望みたいとさえ思っていた。時おり、われから自分をなさけなく思う気持ちが、彼をして、毅然として頭をもたげさせた。そしてしばらくのあいだ、みとめてもらえなかった愛の気持ち、憎悪、傲慢心のまじり合った、ひねくれた快感を味わっていた。

誰かが、ドアの取っ手を動かした。ジゼールだった。髪を洗ってもらったと見えて、肩の上には黒い巻毛がぱさぱさかわいていた。下着にパンツというういでたち、首、腕、ふくらはぎの褐色をしているところ、だぶだぶな半ズボン、犬のような目、つやつやした唇、そして髪の毛をふり乱しているところ、まさにアルジェリアの少年といったかっこうだった。

「何か用かい？」と、ジャックは、あいきょうのない声で言った。

「会いに来たのよ」彼女は、じっと彼をみつめながら言った。

もう十歳になっている彼女には、今週のあいだに、いろいろなことが察しられていた。けっきょくジャックは帰って来た。だが、すべては元どおりにはならなかった。早い話がおばさんだ。いまも髪をゆってくれていながら、チボーさんのところへ呼ばれて行き、自分におとなしく待っているように言いつけながら、こうして洗い髪のまま、自分をほったらかしておいたではないか。

「誰だ、ベルを鳴らしたのは？」と、ジャックがたずねた。

「ヴェカール神父さんよ」

ジャックは、まゆをひそめた。彼女は、ベッドの上、彼の隣ににじりあがった。

「かわいそうなジャコ(ジャックの愛称)」と、彼女はつぶやいた。

こうした愛情をしめされて、彼の心はなごんでしまった。彼は、少女をひざにだき上げ、キスしてやった。だが、そうしていながらも、耳をすましていた。

「あっちへお行き、誰かくる!」彼は、少女に向かってこうささやくなり、廊下のほうへおし出してやった。

彼は、わずかにベッドから飛びおり、文法の本をあけるだけのひましかなかった。ドアの向こうには、すでにヴェカール師の声が高く聞こえていた。

「こんにちは、嬢ちゃん。ジャコはここかね?」

彼は、はいって来て、ドアのところで立ちどまった。ジャックは目を伏せた。ヴェカール神父は、そばへよって来て耳をつまみあげた。そして、

「えらいことをやってのけたな」と、言った。

だが、少年のムッとしているようなようすを見ると、神父はすぐ戦法を変えた。ジャックにたいするとき、彼はいつでも慎重な態度に出ることにしていた。彼は、とかく道をふみ迷いたがる小羊にたいして、好奇心と尊敬とのまじり合った、特殊な愛情をもっていた。彼は、そこにどんな力が横たわっているのかをちゃんと見ぬいていたのだった。

彼は椅子に腰をおろした。そして、少年を自分の前にこさせた。

「お父さんにごめんなさいを言ったろうな?」と、彼は言った。そのじつ、どうだったかを知って

のうえのことだった。ジャックとしては、こんな見えすいた嘘をつかれて不愉快だった。彼は、神父のほうをじろりとながめて、ちがう、といった身ぶりをした。短い沈黙。

「ところでだ」と、神父は、心配そうな、いささかためらいがちな声で言った。「じつのところ、わたしは非常に心配している。きょうまでというもの、ずいぶん目にあまるようなことがあっても、いつもお父さまのまえに弁護してあげてきた。いつもこう申しあげてきた。《ジャコは、いい心を持っております。りっぱなものを持っております。長い目で見てやることにしましょう》ところが、きょうという きょう、わたしにはもうなんと言っていいかわからない。さらに重大なのは、わたしには、どう考えていいかわからなくなってしまったことだ。わたしはきみに関して、わたしとして考えられもしなかったようなことを聞かされた。ま、このことはいずれあらためて話すとしよう。なにしろ、わたしはこう考えた。《あの子も、きっと考えたにちがいない。そして、悔い改めて、もどって来るにちがいない。そして、どんなあやまちにしても、真剣な悔い改めによってあがなわれないものはない》ところがどうだ、真剣な悔い改めどころか、きみは仏頂づらをして、悪いことをしたというようなようすも見せず、涙一滴流しもせずに帰って来た。今度という今度、お父さまはがっかりしておいでだ。はたの見る目もおいたわしかった。いったい、どの程度まで堕落したのか、ぜんぜん心がすさんでいるのか、それを案じておいでなのだ。そしてわたしも、事実そのことを案じているのだ」

ジャックは、ポケットの底で両のこぶしを握りしめ、あごをぐっと胸につけ、嗚咽がのどからもれないよう、顔筋ひとつそれをしめさないように、じっとこらえていた。許しを求めなかったことのつらさ、もし自分もダニエルのように迎えられたらどんなに楽しい涙を流したことだろう、それを知るものは自分以外にいないのだった。そうだ！　こうなる以上、父にたいする自分の気持ちを、誰にも気づかせないようにしておかなければ。それは、いささか恨みの気持ちのこもった動物的ななつかしさ、しかも、たがいに歩みよる希望の持てなくなったいま、これまでよりさらに激しく感じられだしてきたなつかしさといった気持ちだった。

　ヴェカール神父はだまっていた。神父の平静な顔つきは、沈黙をさらに重苦しいものにさせていた。やがて、神父は、目をじっとはるかなほうへそそぎ、まえおきもなしに、まるで物語り役とでもいったような声で言いだした。

「或人二人の子ありしが、次男は一切をかきあつめて遠国へ出立し、彼処にて放蕩なる生活に財産を浪費せり。既に一切を費やして後、軈て自ら省みて云ひけるは、起ちて我父の許に至り、父よ、我は天に対しても汝の前にも罪を犯せり、我は最早汝の子と呼ばるるに足らず、と云はんと。即ち起ちて、父の許を指して行きしが、未だ程遠かりけるに、父は之を見て憫を感じ、趨行きて其頸を抱き、之に接吻せり。子は、父よ、我は天に対しても汝の前にも罪を犯せり、我は最早汝の子と呼ばるるに足らず、と云ひしかど……（新約聖書ルカ聖福音書第十五章）」

　いま、ジャックの悲しみは、その意思をはるかにたち越えていた。彼はさめざめと泣きだした。

　ヴェカール神父はちょうしを変えた。

「わたしには、きみが心の底までそこなわれていないことがわかっていた。けさもわたしは、きみのためにミサをとなえた。さあ、《帰れる子》のようにして行くがいい。お父さまにお会いしに行くのだ。お父さまも、かわいそうに思って、心を動かされるにちがいない。そして、お父さまにしても、こうおっしゃるにちがいない。《我等楽しまん、其は此我子、失せたるに見出されたればなり！（ルカ聖福音書第十五章）》」

　このときジャックは、自分が帰って来たとき、玄関のつりしょくだいが、あかあかとともされていたこと、チボー氏がフロックコートを着ていたことを思いだした。そして、おそらく準備されていたらしいお祝いが、自分ゆえにだいなしになったであろうことを思いだし、さらにしんみりした気持になった。

「それに、まだ言っておくことがある」と、神父は、彼の小さな褐色の頭をなでてやりながら言葉をつづけた。「お父さまは、きみについて、ひとつの重大な取りきめ……」彼はためらった。そして、いろいろ言葉を選びながら、ピンと立っている耳の上へ、その手を何度か持っていった。耳は、頬にそってたたまれては、ふたたびバネのようにピンと立った。そして、火のように燃えていた。ジャックは、身を動かすことができなかった。「その……取りきめには、わたしも賛成した」神父は、人さし指を唇にあて、しつこく少年の視線を求めながら、力をこめてこう言った。「きみを、しばらくのあいだ、家から離れさせようというお考えなのだ」

「どこへです？」しめつけられたような声でジャックがさけんだ。

「いずれお父さまからお話しがあろう。だがな、最初どんなふうに思っても、つまりはきみのためを考えてのご処置と思って、すっかり心を悔い改め、お受けするようにしなければならん。初めのうちは、自分ひとりだけの生活をすることが、いささかつらくも思われよう。そうしたときには、思いだすのだ、よき信者にとっては、けっして孤独というもののないこと、また主は、主を信ずる人々をけっしてお見すてにならないことを。さあ、わたしにキスしておくれ。そして、お父さまにお許しをねがいに行こうじゃないか」

しばらくののち、ジャックは顔を泣きはらし、火のような目をして自分の部屋にもどって来た。彼は、鏡のほうへ進みよると、自分の底まで見とおすような物すごいようすで、まじまじとわが顔にながめ入った。それは、まるで憎悪、怨恨を浴びせかけようとして、相手を求めてでもいるようだった。だが、そのとき、彼の耳に、廊下を歩む足音が聞こえた。部屋の錠前には、すでに鍵がなかった。彼は、戸口に椅子のバリケードをきずいた。それから、机の前に駆けより、鉛筆で何か走り書きをすると、それを封筒に入れ、あて名を書き、切手をはり、それを持って立ちあがった。まるで気がちがいでもしたようだった。この手紙、いったい誰に頼んだらいいのだろう？　まわりはすっかり敵なのだ！　彼は、細めに窓をあけた。どんより曇った朝だった。町の中には人影がなかった。と、向こうから、ひとりの老婦人と子供とが、ゆっくりした足取りでこっちをさしてやってくる。ジャックは、持っていた手紙を下へ落とした。手紙は、くるくる舞いながら、歩道の上へ落ちていった。ジャックは急いで身をひいた。ふたたび、思いきってのぞいてみると、もはや手紙は見られなかった。そして、老婦人と子供とが向こうへ歩いて行く姿が見えた。

いまや力つきた彼は、わなにかかった獣とでもいったようなうめき声を立てた。そして、ベッドの上にガバと身を伏せ、ベッドのわくいっぱいに足をふんばり、力ない怒りにからだじゅうをふるわせながら、泣き声を立てまいとしてまくらをかんだ。彼にはこうした絶望を人に見られたくないといった意識だけが、かろうじて残っていたのだった。


その晩、ダニエルは次のような手紙を受け取った。

友よ
ぼくのただひとり愛する友、わが生涯の愛であり、また美であるところのきみよ！

ぼくはいま、これを遺言のつもりで書いている。

彼らは、ぼくをきみからひき離し、ぼくをすべてのものからひき離し、ぼくをあるところへ入れようとしている。どういうところか、それがどこにあるのか、ぼくには言う気になれない。おやじのために恥じる！

ぼくにはただ、おお、わがただひとりの友よ、ぼくをよきものにすることのできたただひとりの友よ、二度ときみに会えそうもないことが感じられる。

さらば、友よ、さらば！

やつらにして、あまりにぼくを苦しめ、あまりにつらくするようだったら、ぼくは自殺しようと思っている。そのときさみは、ぼくがみずから進んで死んだこと、彼らのゆえに死んだことを彼らに知らせてやってもらいたい。しかも、ぼくは彼らを愛していたのだ！

しかし、かなたの世界の戸口に立って、ぼくが最後に思う人、それこそ、友よ、きみをおいてほかにないことを思ってほしい！

さらば！

一九二〇年七月――一九二一年三月

灰色のノート　了

訳者あとがき

八部から成る『チボー家の人々』は、第一部『灰色のノート』が一九二〇年に着手され、『エピローグ』の筆のおかれたのが一九三九年であるから、その制作のため、じつに十九年という年月がついやされたわけであります。『灰色のノート』『少年園』の両巻を出版とほとんど同時に読んで感激したわたくしは、かつてジードの『狭き門』『贋金（にせがね）つくり』のばあいのように、べつに出版のことなどを念頭におかず、すぐさまこの二巻の翻訳をこころみたのでした。いまちょっと手もとに見あたりませんが、たしか第一巻初版のとびらうらに「この作品はおそらく十数巻にわたるものと予想している。ねがわくば完結をまって批判せられんことを」といったような作者の言葉が載せられていたと記憶します。いずれにせよ未完結の作品のことであり、しかも何巻をもって完結するか作者自身にも予測できない作品のことだったので、わたくしの翻訳が出版者を見いだすためには、一九三七年マルタン・デュ・ガールがノーベル文学賞をうけ、その作者と作品とがフランス本国において輝かしい脚光を浴びたときを待たなければなりませんでした。こうして、この作品の第一部『灰色のノート』がはじめてわが国に紹介されたのは一九三八年の春、最終巻『エピローグ』の訳了によって全作品紹介の実をはたし得たのは、まさに一九五二年のことでした。その間、太平洋戦争のため『一九一四年夏』の部分の出版がゆるされなかった事情はあるにしても、まさに前後十四年をついやしたわけであります。これは、原作者マルタン・デュ・ガールがこの作品完成のためについやした十九年という年月にあやうく匹敵するほどの長さであり、この仕事をおわったわたくしとして、まさに感慨無量の思いがありました。

この作品の翻訳をつづけながら、わたくしにとっての大きな励ましは、この作品の読者層が、一般の文学書のばあいのように、単に文学者ないし文学愛好者といった範囲にかぎられず、おどろくほど広範囲にわたり、しかもとりわけ若い人たちのあいだにおどろくほど多くの共感者を見いだしたという事実であります。この事実がいかなる理由によるものであるか、それはこの作品を読まれたうえで、読者みずから理解されることと信じています。

『チボー家の人々』の世界は、第一次世界大戦の前後にわたるフランスであります。しかし、これは必ずしも、いまからかぞえておよそ四十余年の歳月をへだて、海をへだてての遠い世界のできごととのみは言えません。『チボー家の人々』全巻を通じ、そこに取りあげられている問題のすべては、またその問題に直面しての人々の悩みは、そのまま太平洋戦争の前後にわたってわれわれの問題であり、悩みであり、しかも、その問題なり悩みなりは、いまなお、若い人々の心のうちにはっきり引きつづいているところのものであります。

ところで、こうした共感が最大の原因となって、この作者が、フランスはもとより、全世界において、さらにわが国においてもきわめて広範な読者層を獲得したにかかわらず、作者マルタン・デュ・ガール自身についてはほとんど知られていませんでした。先年死んだ孤高狷介(ここうけんかい)なフランスの哲人アンドレ・シュアレスは、かつて『現代フランス評論家選集』にそのエッセーが収載されるにあたり、編集者から閲歴を求められたのにたいして、「読者は、予の作品を読めば足る。彼らには、予の閲歴を知る権利なし」と、わずか二、三行の言葉で答えていました。いかにもシュアレス至極の言葉とおもしろく思いましたが、こうした読者との絶縁の点でシュアレスとくらべ得るのは、おそらくマルタン・デュ・ガールではないかと思います。さらにマルタン・デュ・ガールのばあい、《文壇》との絶縁をも付け加えていいかと思います。一九三七年、『チボー家の人々』の第七部『一九一四年夏』三巻にたいしてノーベル賞がさずけられたとき、フランスの新聞・雑誌は、作者の閲歴、写真を掲載しようとして、大いに狼狽させられたということが伝えられています。いわゆる文壇人との交際を極度にきらい、交遊の範囲も、わずかにジード、シュランベルジェ、コポーといった選ばれた人々だけにかぎり、ほとんどいつもパリを避けてテルトルに住んでいたマルタン・デュ・ガールは、けだし社交好きなフランス文壇にあって、もっとも文壇人らしからぬもののひとりだったと言うことができましょう。さいわい、一九五五年、すなわち彼の死に先だつこと三年、プレイヤード叢書の一部として彼の全集が出版された機会に、その巻頭に、きわめて周到な年譜とともに、何を思ったか彼自身の筆になる『回想録』が載せられました。この『回想録』の貴重な点は、それが単に彼の生いたち、閲歴をあきらかにしたものであるばかりでなく、主として、彼の文学者としての生成のあらゆる秘密を、作者自身、率直誠実に述べている点にあります。

マルタン・デュ・ガールは、一八八一年三月、ヌィイー・シュル・セーヌのビノー町に生まれました。父は中部フランスのブルボネ州の産で、パリ市初審裁判所の代訴人をしていました。その家系には、代々裁判官・弁護士をかぞえますが、芸術家を出したのはマルタン・デュ・ガールをもって最初とするということであります。こうした司法関係の家に生まれたことは、その作品『ジャン・バロワ』における弁論の展開、つづいては『チボー家の人々』における水ももらさぬ筋の組み立てを考えるとき、なるほどとうなずかせるものでありますが、作家としての彼の特質をつくりあげるにあたって決定的な結果をもたらしたものは、パリ古文書学院における勉強だったと言えましょう。これよりさき、マルタン・デュ・ガールは、フェヌロン中学校、コンドルセ高等学校に学びました。この期間において、彼がフェヌロン中学校長マルセル・エベール神父に愛され、トルストイの『戦争と平和』をあたえられたことは、彼にとってとりわけ啓示的な意味をもったものと言うことができます。エベール神父にたいするマルタン・デュ・ガールの感謝は、「この作品の冒頭に先生のお名まえをかかげたことは、二十年来わたくしが先生にささげつづけてきた心からの敬愛をしめすのみにはとどまりません。それによって、先生のごりっぱな抑損のご生活にたいし、人々の寄せる敬仰の余栄が、このわたくしにもあたえられるであろうことを期待してのことにほかなりません」と『ジャン・バロワ』の献辞に記しているところによってもうかがわれますが、一方トルストイによる開眼は、「この作家の発見は、わたしの青年時代におけるもっとも重大なできごとであり、作家としてのわたしの将来に、もっとも永続的な影響をあたえたものである。わたしは、かわることなき熱意と、われを忘れるほどの驚きをもって幾たびとなく『戦争と平和』を読みかえしながら、決定的に小説を書こうという決心をした。しかも、無数な人物が登場し、複雑多岐にわたったエピソードのうえに立った息の長い小説を」と彼自身回想していますように、まさに『戦争と平和』の発見こそは、彼を『チボー家の人々』へとかりたてるにいたったきわめて直接的な原因だったものと言うことができます。

高等学校からソルボンヌ大学文学部に進んだ彼は、文学士試験に不合格だったのを機会に、父にはないしょで、さきに述べたパリ古文書学院に移りました。そして、この学院での卒業論文としてジュミエージュ修道院遺跡についての考古学的論文を書き、史実のえらびかた、材料の処理についてのしっかりした経験を身につけましたが、これが後年作家としての、とりわけ『チボー家の人々』の作家としての彼に大いに資するところがありました。

一九〇五年古文書学院をきわめて優秀な成績で卒業した彼は、いよいよ創作への決意の実現に立ち向かい、まずその手はじめとして、一九〇八年、二十七歳の年に公にしたのが、最初の長編小説『生成』でした。これは、文学を志すひとりの青年を主人公とし、これに配するにおなじ世代、おなじ志向のうえに立つ幾人かの友人たちをもってし、当時の政治的、社会的不安を背景としてそれら多感な青年たちの内心的苦悩を取りあつかい、つまりは才能とぼしく、あたら青春の夢も不毛と幻滅におわる文学的落伍者のすがたを描いたものでした。この作品は、パリを避けて近郊バルビゾンに蟄居(ちっきょ)し、あらかじめプランも立てず、ノートも取らず、わずか数週間で一気に書きあげたもので、その点、これに引きつづく彼の作品とちがい、むしろ主観的要素の立ちまさったものと言えるでしょうが、そこに取りあつかわれた主題が、おそらくは彼自身も悩んだであろう生成期における青少年の問題であったということこそは、これにつづく『ジャン・バロワ』、さらには『チボー家の人々』への、きわめてすなおな準備的意味をもった作品だったと言えるでしょう。さいわい、理解ある友人、批評家たちから相当の賛辞によって迎えられた彼は、時をおかず、大きな希望に燃えたってつぎの大作『ジャン・バロワ』に着手しました。

これは一八九四年、フランス全土を震撼させたドレフュス事件を背景とし、その前後にわたるフランス青年の思想的不安の状態、国家か正義かの問題、それと同時に十九世紀末科学主義の攻勢による信仰動揺の様相、すなわち科学か信仰かの対決を主題とした作品でありまして、作者は、ここにはじめてその特質とする精緻な史実検索を基礎としたすばらしい盛りあげの手腕を見せています。この作品のため、彼はその二十九歳から三十二歳にいたる前後三カ年の日子をついやしましたが、彼が十二分な自信をもって取りくんだこの作品も、いざ出版のまぎわとなって思わぬ障害に逢着しました。それは、かねて出版契約のあったグラッセ書店からの「これは小説ではありません。調査資料であります」という思いもかけぬ出版辞退の通告でした。このことは、この作品が、いかにマルタン・デュ・ガール一流の手堅い史実検索のうえに立っていたかを物語るものである一方、他方には、この膨大な作品が、全編を通じて、在来の小説作品に見られなかった対話形式によってつらぬかれていることが、グラッセ書店を逡巡させたものでありました。最初、劇作家として立とうかとを思っていたと彼自身述懐していることから考えますと、この作品は、彼が劇作の心構えのうえに立ってのきわめて大胆な試みだったとも思われますが、一方この作品の内容の要求している息づまるような緊迫感の点から言って、まさにこうした対話形式によってこそはじめて、と思わずにはいられないほどの成功をおさめております。グラッセ書店に拒まれたこの作品は、これまた思わぬ偶然の機会から、そのころまだ未知の間柄だったアンドレ・ジードの推薦により、当時新しい文学樹立のためはなばなしい出発ぶりを見せていたガリマール書店から出版されました。そして、この出版を機として、アンドレ・ジードと彼とのあいだに、終生かわらざる友情と信頼とが生まれたことを考えますと、これこそまことに、文学史上まれに見る美しい機縁だったと言えましょう。

この作品が、とりわけ若き人々のあいだにいかに大きな共感をよび起こしたかは、N・N・R・F誌『マルタン・デュ・ガール追悼号』の中で、当時ロンドンにあったポール・モランがこれを読んでそこにきわめて身近な空気を感じ、大いに感激したと書いていることによってもうかがえますが、たまたまこの作品が出版された一九一四年、出版とわずか数カ月をへだてて勃発した第一次ヨーロッパ大戦は、フランス全土をあげて興奮のるつぼに投げ入れるとともに、この作品をも、いきおいその動揺の中に見失わせることになったのでした。

一九一四年夏、大戦勃発と同時に、マルタン・デュ・ガールは動員され、自動車輸送班に編入されました。そして、引きつづく四年間、身をもって戦場での生活を体験し、一九一九年、講和条約の締結によって、はじめて文学生活への復帰をゆるされました。

こうして除隊となった翌一九二〇年一月、彼は、ふとしたことから、大作『チボー家の人々』への着想を得たと述べております。すなわち、彼は、たがいに性格を異にしたふたりの兄弟を中心として、まさに『戦争と平和』に匹敵する大作を想定し、そこに、自分の性質の中でたがいに矛盾しあっている傾向を、すなわち、一方では独立不羈と脱出と反抗の本能、あらゆる妥協拒否の気持ちを、他方では自分自身の遺伝による秩序や節度の本能、また、極端に走ることの拒否の気持ちを、同時的に表現しようと考えたのでした。

彼は、この大作のため、きわめて綿密なカードを準備しました。そして、とかくわずらわされがちなパリを去ってクレルモンに仕事場をもち、一九二〇年から二三年にいたる三カ年、毎週月曜の朝から金曜の朝までをこの仕事に没頭し、ついに最初の三部『灰色のノート』『少年園』『美しい季節』を書きあげました。

『ジャン・バロワ』の出版にちなんで、ジードと彼とのあいだに結ばれた美しい友情については先にもちょっと触れましたが、その後両者の親交と信頼とはますます深さを加え、一九二〇年十二月末、キュヴェルヴィルの別荘にあったジードは、わざわざクレルモンへ出かけ、その二日の滞在中に、マルタン・デュ・ガール自身による『灰色のノート』の朗読をきき、また『チボー家の人々』全編にわたっての構想をきき、それについての忌憚ない感想を述べたということがジードの日記（『ジードの日記』一九二〇年十二月二十二日）中に語られております。

こうして、『美しい季節』につづく『診察』『ラ・ソレリーナ』『父の死』の三部は、あるいはクレルモンで、あるいはその後彼が引き移り、その終焉の地となったテルトルで書きあげられましたが、たまたま第七巻として予定していた『出帆準備』の稿成ったころ、彼は思わぬ奇禍に見まわれました。すなわち一九三一年一月一日の夕方、自宅付近で自動車事故で重傷をうけ、引きつづく二カ月、ル・マンの外科病院で療養生活を余儀なくされたのでした。こうした無為の療養生活の中で彼の考えたのは、もしこの調子で作をつづけていったら、おそらくさらに十五巻を要するであろうということでした。そこで彼は、この大作の構想に大転換をあたえることを決心しました。そして、後年彼みずから「ああもやすやすと全燔祭（オロコースト）をやってのけられたことに、われながらおどろかずにはいられない」と述懐していますように、彼は、すでにその大部分を書きあげていた『出帆準備』の原稿を惜しげもなく焼きすて、あらたに第七部『一九一四年夏』の構想に立ち向かいました。『一九一四年夏』三巻、それに引きつづく最終巻である第八部『エピローグ』は、一九三三年以後六年にわたり、あるいはテルトルで、あるいはニースで書きつがれましたが、その間一九三七年、思いもかけずノーベル文学賞授賞のことを知ったとき、そこに至るまでの辛酸を思って、彼の喜びはいかばかりだったでしょう。『エピローグ』は一九三九年に脱稿を見ましたが、すでにその年の九月には第二次ヨーロッパ大戦の幕が切って落とされました。『チボー家の人人』において――アルベール・ティボーデがいみじくも Stream of flesh を描いたものと評したこの巨大な作品、すなわち、第一次大戦に先だってのフランスの一家族、ないし、カトリックたるチボー家と、プロテスタントたるフォンタナン両家を取りあげ、そのおのおのの相関関係ないし対立関係の中に、そのおのおのの若き生命の発展の様相を子細に検証することに筆を起こし、戦争勃発とともにそれらの生命がひとしく混迷擾乱のるつぼの中にたたきこまれ、軍部・政治家輩の野心と無知と、さらには社会革命家たちの怯懦(きょうだ)と逡巡との結果、戦争と、それに伴う悲劇がますます拡大する様相をあますところなく描きだし、ついには作者自身の一分身とも思われるフィリップ博士をして、「ぼくの思うところでは、今度の戦争の後においても、諸国家は、戦争によってあたえられた絶対権力を二度とふたたび手放すことをしないだろう。ぼくのおそれているのは、民主的自由の時代が、これからさき長いあいだ、しめだしをくわされるだろうということなのだ……ぼくらは、これで人類もいよいよおとなの域に達し、これからは、知恵、節度、寛容の支配する時代に進んでいくものと信じていた。知識と理性とが、いよいよ人類社会の進歩を導くような時代になるものと信じていた。そういうぼくらが、後世の史家の目に、人間について、また文明にたいする人間の能力について、甘い夢をきずいていたおめでたい人間、何も知らなかった人間としか映らないと誰に言えるだろう？」と嘆かせたマルタン・デュ・ガールとして、この作品の筆をおくと同時に早くも第二次世界大戦の勃発を知ったときの感慨は、はたしてどれほどだったでしょう。

　大戦中、ドイツ軍の侵入に追われ、転々としてル・マン、ソーミュール、リヨン、ヴィシーと居を移し、さらには、ドイツ軍のブラック・リストに載せられていることをレジスタンスの友人によって教えられ、ニースの避難先からも身をかくさなければならなかったマルタン・デュ・ガールは、そうしたあいだにも、次の大作『モーモール大佐の回想』の構想をまとめ、すでに執筆にとりかかっていました。だが、たえず健康上の脅威にさらされ、一方構想上の迷いからとかく渋滞がちだったことが、『回想録』の末尾に添えられた日記、それにアンドレ・ジードあてのかずかずの手紙の中に見えております。そして、一九五八年八月二十二日、心筋炎の発作による死のおとずれによって、この作品はついに未完成のままにのこされることになったのでした。

まえにも述べましたように、わたくしは『チボー家の人々』訳了のため、前後十四年をついやしました。そのうち、第一部から第六部までは戦前の訳にかかり、量においてそれに匹敵する第七、第八の両部、すなわち『一九一四年夏』と『エピローグ』とは、これを戦後にいたって訳了しました。戦争による中絶は別としても、あまりにも長年月にわたった訳であることから、その間、行文の不一致はもとより、思わぬ悪訳誤訳の個所が気になりながら、そのおりおりに心づいた加筆訂正にとどめて今日にいたりました。さらに申せば、最初わたくしの手にした初版十一冊本に引きつづき、一九四九年版の九冊本、さらには一九五三年版の七冊本と、版をあらためるごとに、作者の手による多少の加筆訂正のあとが見られています。作者生前の最後の版としては、さきにあげたガリマール社発行プレイヤード叢書中の『マルタン・デュ・ガール全集』二冊をかぞえますが、わたくしとしては、できうるかぎりこれとの照校を心がけながらも、この巨大な作品を前にして、そのあらゆる異同をもれなく検索することは、とうていよく為しあたうところでありませんでした。旧作にたいし、作者自身がいつも彫琢を忘れなかったことを思うにつけ、今後もたえず、作者の負託にこたえる努力をつづけようと思っています。

この改訳が出るにつけても、これまでに寄せられたかずかずの友情や激励を思って、わたくしは、言葉につくせぬ感謝の心を禁じ得ません。着手にあたって、当時パリにあって翻訳権取得のため尽力された小松清、井上勇の両君、この仕事のため、折にふれて激励を惜しまれなかった吉江喬松、辰野隆の両博士、永田寛定、渡辺一夫、浅見淵の諸氏、医学専門語については丸山千里、吉倉範光両博士、カトリック用語については安井源治君、翻訳全般にわたっては René Trotobas, Noël Nouët 両君の協力など、思えばわたくしとして、まさに身にあまる厚意にめぐまれた仕事だったと思っています。

さらに、この長きにわたった出版のため、白水社編集部の友人たち、さらには印刷所の諸君のしめされた異常な好意と協力にたいして、わたくしはなんと感謝の言葉をのべたらいいのでしょうか。この仕事の完成も、まさに諸君の忍耐と激励のたまものであることを切に思わずにはいられません。

一九六一年九月

訳　者

解説

いまなぜ『チボー家』なのか?

ロジェ・マルタン・デュ・ガール（一八八一―一九五八）の『チボー家の人々』は、日本で最も多くの読者を獲得してきた外国小説の一つだと言ってよいだろう。『灰色のノート』から『父の死』までの小説前半だけが山内義雄先生によって翻訳されていた戦前からそうであったが、戦後『一九一四年夏』と『エピローグ』という後半が訳出されるにおよんで、読者の感動はさらに決定的なものとなった。その永続的で静かで深い感動は、この作品が堂々と正面きった真正の本格小説だったことに由来する。本格小説というのは、二十世紀に入ってからヨーロッパの小説に興ったさまざまな新しい試みや新しい手法をよそに、おめずおくせず小説の本道と作者が考える伝統的写実主義（リアリズム）を貫き通した作品ということである。二十世紀前半のヨーロッパでは、写実小説が十九世紀末までに行き詰まったという感覚から、あるいはリアリズムの骨格である物語性を破壊して無意識の世界の記述に向かい（フランスのプルーストや、イギリスのジョイス、ウルフなどの意識の流れという手法など）、あるいは物語性を衣裳にまといながら実はそれを作者の哲学の表現とする文学（ドイツのカフカやフランスのジード、そしてその流れを汲む実存主義や不条理の哲学小説など）、などが隆盛となった。マルタン・デュ・ガールもそれらの価値に無関心ではなかった。しかし彼は、小説の本道はどうしても、人間の真実と考えられるものを具体の厚みをもって構築し、尋常な手段によって地道に物語ってゆくことでなければならない、という考えを踏みはずすことを承知しなかった。

二十世紀の新しい文学の担い手たちが多くドストエフスキーの流れを汲んだのに対して、彼が師表と仰いだのはトルストイだったのである。しかし『チボー家の人々』を読む者は、作中人物の魂の深奥に触れるとき、しばしばそこにドストエフスキー的なものを見出さずにはいないであろう。

しかしこの作家はなによりも、生まれながらの人間についての語り手だった。人間のさまざまの性格を遺伝や環境とともに捕らえ、その心理と感情の機微をもって作中人物に生命を吹きこむこと、人間における肉体と精神との関係の問題、とくに病や死という不条理なものが人間精神に及ぼす猛威に思いをいたし、そして人それぞれが懸命に生き死んでゆくということが何であるのかという究極の問題をつきつめること、これらが『チボー家の人々』を計画したとき作者が自分に言いきかせたことであった。であるからこの大小説は、じっくりと腰を据え、そして緻密に、人物たちの日々の生活を追ってゆく。作中人物たちはひとりひとりが、まさに個々の人生を生きてゆくのである。彼らの心をよぎる僅かの翳り、無意識になすちょっとした動作、言葉のはしはし、そうしたものが何一つ見逃されることがない。読者は決して奇をてらわないこの文章の、一行をもうっかり読み過ごしてはならない。こうして『灰色のノート』は一種の思春期小説、家庭小説の趣をもって出発し、『美しい季節』では、主人公たちは恋の季節を迎えて、それぞれの感情生活のなかでゆっくりと生成してゆく……

正確に言うと、これは二つの家庭の物語である。チボー家はカトリック、フォンタナン家はプロテスタントの信仰に支えられた家庭である。ここに、フランス人の日常生活にまで深くかかわってくる宗教の問題が、二元的対立の形で設定されている。そしてどちらかといえば、因襲的なカトリック的環境への批判が、小説前半を色濃く染めている。

チボー家には、オスカール・チボー氏というフランス・カトリック・ブルジョワ社会を代表するような権威主義的で専制的な父のもとに、アントワーヌとジャックという性格を異にする兄弟がいる。フォンタナン家のほうには、優しく美しいフォンタナン夫人という母のもとに、ダニエルとジェンニーという兄妹がいる。兄妹の父親のジェロームは放蕩者で、家を外にして他の女と暮らしている。チボー家は父家庭、フォンタナン家は母家庭という、もう一つの対照がここに見られる。小説全体の中心的主人公は勿論チボー家の二人の息子、アントワーヌとジャックである。作者は後年一九二〇年一月を回想して、次のように書いている。

にわかに、私は二人の兄弟の物語を書こうという考えにとりつかれた。気質がこの上なく異なっていてますます離れてゆくが、根本的には、ある非常に強い共通した遺伝によって類似がひそめられている二人の異母兄弟である。この主題はある実り多い人格二分割の機会を私に提供するものだった。そこには、私の性格の二つの矛盾した傾向を、同時に表現する可能性があったのだ。すなわち一つは独立、脱出、反抗、あらゆる因襲の拒否、の本能であり、もう一つは秩序、節度、あらゆる極端の拒否、の本能で、遺伝によるものである。(『自伝的文学的回想』)

この回想は、少しく正確さを欠いている。一九二〇年というと、第一次大戦が終結した翌年である。じつはすでに大戦中から、『ふたりの兄弟』あるいは『善と悪』という仮の標題のもとに、マルタン・デュ・ガールは一大長編小説を書こうという考えを育んでいたのだった。しかし応召してから終戦まで、下士官ながら騎兵集団への食糧器材補給の自動車輸送隊の指揮をとっていた彼は、平和の回復までついにそれに着手することはなかった。

ただし、軍用トラックで独仏戦線のほとんどを駆け巡ったマルタン・デュ・ガールの戦場体験は、『チボー家の人々』の後半の大部分を占める『一九一四年夏』に重要な糧を供することになる。

一九一四年夏とは、第一次大戦勃発の時期である。であるから、ノーベル文学賞の与えられたこの『一九一四年夏』という巻にいたるまでの『灰色のノート』から『父の死』までの諸巻は、戦前のいわゆる良き時代(ベル・エポック)の終わりに近い年月における話だということになる。そして私たちは、この『父の死』までの数巻をこの大河小説の前半部分と考え、大戦突入からほぼ終戦近くまでを扱う『一九一四年夏』からあとの部分を小説後半と考えることができるのである。

このようなわけで、第一巻『灰色のノート』は、平和な今世紀初頭ぐらいからの話として、落ちついた語り口で始められる。物語の発端は一九〇四年という時点に設定され、この年に、カトリックの大立て物チボー氏は五十四歳、兄のアントワーヌは二十三歳、弟ジャックは十四歳というふうに年齢が推定される。チボー家には、もうひとり、養女として育てられているジゼール（十歳）がいる。アントワーヌは医学を修め、医者としての出発を始めようとしている。ジャックはまだカトリック系の中学校に通っているが、同級生にフォンタナン家のダニエル（十四歳）がいて、このふたりの少年がとりかわすノートが灰色のノートなのであり、これをめぐっての事件が、開巻後ただちに読者をその渦中に捲きこんでしまう。ダニエルの妹ジェンニーはまだ十三歳の小娘であるが、このアントワーヌ、ジャック、ダニエル、ジェンニーの四人を中核として、彼らを取りまく多くの人間たちの生活が、巻を重ねつつ進展して行く……

『チボー家の人々』はフランスの大河小説を代表する作品だと言ってよい。二十世紀前半は小説全盛の時期で、延々と続けられる息の長い小説が幾つも現われた（プルースト、デュアメル、ジュール・ロマンなど）。フランスの大河小説の第一発はロマン・ロランの『ジャン・クリストフ』（一九〇四—一二）であるが、その大本は

『チボー家の人々』の作者がお手本としたロシアのトルストイの『戦争と平和』（一八六八—六九）ということになっている。ここで一言しておきたいのは、ただ長い小説というだけでは大河小説とは言えないのではないか、ということである。大河小説とは、滔々と流れる「歴史」という大河に棹さす小説、というふうに考えられるからである。日本にも剣豪の伝記などでずいぶん長いものがあるが、それらがこのような条件を充たしているかどうかが問題で、もしそれがひとりの剣客の生涯の話にとどまるならば、厳密な意味で大河小説とは言えないかもしれない。このような意味で、フランスの大河小説の代表的な作品は、この『チボー家の人々』(一九二二—四〇)だということになるのである。

この大小説の後半において、作中人物たちはひとしく第一次大戦というヨーロッパの大動乱のなかへと捲きこまれてゆき、それまでの平和なフランスでそれぞれ個性ある人生を歩んできた人々が、歴史の宿命のなかに個々の運命を投じてゆくことになる。そしてその歴史的大変動のなかで、ひとりの未亡人とひとりの子供だけを未知の未来に託して、チボー家とフォンタナン家という二つのブルジョワ家庭が崩壊してゆく。

ところで、一九一四年から一九年にかけての第一世界大戦を取り扱う第七部『一九一四年夏』と第八部『エピローグ』を、作者は第二次大戦という新たなる危機を目前にした一九三四年頃から四〇年にかけて書いていたのであった。この二つの時期の関係が、重要なことを語っている。すなわち、新たな戦乱の近づきという危機的状況のなかで、二十余年前の大災厄のよってきたるところを回顧する、という作者の意図である。『一九一四年夏』三巻(本訳書では四巻に分けてある)では、第一次大戦への突入にむかって暴走するヨーロッパ各国の複雑怪奇な動向、その国家秘密と協定と駆け引きのからくり、またそれに対して団結をもって戦争回避のために立ちあがるはずであった第二インターナショナルのあえなき崩壊、そして楽観的日常性のなかで何もなし得なかった国民大多数の盲目性、こうした歴史のおおいなる過誤が再現されるのであるが、これが第二次大戦の直前になぜ回顧されねばならなかったのか、ということに重大な意味がある。つまり作者は、過去の歴史的教訓をもって、危険な未来への予言と警告にしたかったのにほかならない。ここにこの作者独自の現時的参加の姿勢がある。そして『エピローグ』という巻（本訳書では二巻に分けてある）は、毒ガスを吸って余命いくばくもないアントワーヌの人類の未来への懐疑的思索と憂慮にみちた予言でもって、この大河小説に締めくくりをつける。第二次大戦から数十年をへた現在においても、このアントワーヌの警告はその必要性を少しでも減じたと言うことはできない。この意味でも『チボー家の人々』は、人類がその愚行を繰り返さぬという保障がなされぬかぎり、永遠に読まれねばならない小説なのである。

しかしこの小説の作者は、すでに述べたように、そのような思想的、歴史的な意図のみで書くような作家では決してなかった。そのような思想性は、彼にとってむしろ苦手の分野に属していたと言ってよい。この小説も、当初戦争をそれほど大きな要素として含む予定ではなかったのである。それがどのようにしていま読者の眼前にあるものへと進展して行ったのか。ここにこの作品がひそめる偉大な秘密がある。それを知るためにも読者は、まずゆっくりと、第三共和制末期の平和なフランスに身を置いて、作中人物たちの青春時代をともに体験していただくのがよろしいのである。

思春期、その孤独と反抗と

『灰色のノート』という巻は、ジャックの家出という事件でこの大小説の幕をあける。学校側の卑劣な仕打ちに憤激したジャックは、級友のダニエルを誘って、家庭と学校という環境からの脱出を敢行するのである。この小説が脱出のテーマで始められていることに、まず注目したい。

このテーマは、マルタン・デュ・ガールに憑きまとったもので、『生成』『ジャン・バロワ』といった『チボー家』以前の小説にも、これが大きな要素となっていた。そしてまた、十九世紀末から二十世紀初頭にかけてのフランス文学に、しばしばフランスからの脱出、ヨーロッパからの逃避が謳われていたことも忘れられない。その一つの例が、ジャックとダニエルの心をとらえていたアンドレ・ジードの『地上の糧』であるが、既成の価値観からの解放、古い道徳観の否定を踏まえて、すべてを捨てて船出せよと呼びかけるこの熱情的な書は、不道徳な本として糾弾されると同時に、若い世代を熱狂させていたのだった。マルタン・デュ・ガールの脱出のテーマも、つねに、当時のフランスのカトリック的ブルジョワ社会という、牢固たる因襲世界への反抗という形をとる。

アントワーヌはそのような伝統的社会の枠組のなかで、自分の実力を充分に蓄え、有為の人間として活躍したいと考えている体制順応型の、ただしチボー家一流のエネルギッシュな実行力を具えた青年である。しかし生まれながらの反抗児ジャックは、そのような既成社会の管理的体質にがまんがならず、その虚偽や圧制に反逆せずにはいられないという、純粋思考型の人間である。そのような兄弟の性格の違いが、はやくも第一巻から明瞭な対照をみせてくれる。カミュはこのふたりについて、アントワーヌは生まれたときから大人(おとな)としてこの世に出てきた男、ジャックは死ぬまで子供のままである人間、と巧みな批評をしている。そのようなジャックは、この巻ではまだ十四歳の少年でしかない。彼はここでは、父と学校の教師たちに対して反抗する。だが権威に屈することを拒み、不正を憎むこの純粋な魂は、やがて年齢とともに、批判の目を社会へとむけてゆく運命にある。

ところで、ジャックを憤激させて、二少年の家出のきっかけとなった、情熱的な友情交換の秘密ノートの摘発と、同性愛の嫌疑という学校側の行きすぎた詮索の問題は、青年期に書きかけて中止した作品『ある聖者伝』にも現われていて、この作家に憑きまとった一つのテーマだったのであるが、これとよく似た体験が、カトリック系のフェヌロン校という学校に通っていた頃の作者自身の少年期にも、実際にあったことがわかっている。しかしジャックとダニエルの熱烈な感情的交友は、ロマン・ロランが『ジャン・クリストフ』の第一巻で美しく描きあげているような、思春期のほとんどの少年たちがやがて異性愛へと目覚めて行く前に経験する、純粋で理想主義的な若い魂の燃えあがりと呼応の一例にすぎぬもので、なんら危険性のない、むしろ自然で健康な一つの過渡的な現象だと考えてよい。肉体などなんの関係もないその無邪気さは、マルセーユのホテルでのふたりのうぶな恥じらいによく現われている。

部屋にはいるなり、お互いの見ている前で裸にならなければならないことに気のついたふたりは、おなじことを思って当惑していた。(九五ページ)

そしてジャックの場合には、厳格なカトリック的環境というしがらみから逃げ出すために、プロテスタント的環境出身のダニエルに近づいて行ったようすさえうかがわれる。自由な空気のなかで育った芸術的才能の匂いのするダニエルが、清純なジャックの感受性に訴えたのであろう。しかしダニエルがその画家的才能を開花させて芸術の道で努力する人間となってゆくかどうかには疑問がある。作者はどちらかと言えば、フォンタナン家の優しく自由な家庭状況に好意を寄せているように見えるが、フォンタナン家にも問題がないわけではない。そして、問題は、その優しさと自由さそのもののなかにある。フォンタナン家の家長のジェロームの放縦さを許しているのがそれであり、ダニエルもまたその血を汲んで、放逸な生活に溺れてゆく可能性が大いにある。げんにマルセーユで友とはぐれたダニエルは、街で出遇った見知らぬ年上の女によって、性の初体験をさせられる。そのことをジャックに隠したままダニエルは、ジャックとの友情が早くもさめてゆくのを感ずるのだが、このような安直で不純な性へのイニシエイションは、少年の未来にどのような方向性を与えることになるのだろうか。このようにして異性を知った男は、女性をただ官能的逸楽の対象としか見ない人間になってゆく可能性が強い。

マルタン・デュ・ガールは各人の思春期のありかた、とくに初めての性的体験のありかたをことのほか重視する作家である。悲しいほどに純粋なジャックは、決してダニエルのような肉体的なだけの単純な異性との接触を持つことはないだろう。むしろジャックの愛は理想主義的で精神的なものとなるあまり、肉体を失った不毛な愛に走る傾向があるのかもしれない。それに対して、現実型で重厚なアントワーヌこそが、霊肉一致の充実した恋愛を体験するのではあるまいか。やがて『少年園』の後半と第三部『美しい季節』二巻が、これらの問題に光をあててくれるであろう。

『灰色のノート』には、読者の判断を迷わせるような謎めいたエピソードが二つある。これらにはいささかの解説が必要である。その一つは、ジェンニーの瀕死の病とその不思議な回癒、ということである。ダニエルの妹ジェンニーは俄かに原因不明の重い病気にかかり、医者の手当も効きめがなく、アントワーヌも医師として絶望を宣する。このときフォンタナン家を訪れていたグレゴリー牧師は、全霊もて神に縋り、神の意志にすべてを任すようにとフォンタナン夫人に説き、夫人は牧師の言に従って、瀕死のジェンニーのベッドにつきさり、神の前に身を投げだして祈る。グレゴリー牧師も懸命な祈りを捧げたあと、暗く閉ざされた病室の窓を思いきってあけ放つ。このことによって、一挙にジェンニーの病気は奇蹟的な回癒をとげるのである。これはいったいどうしたことなのであろうか。表面的な読みとりをするならば、牧師と母親の祈りが天に通じて、神がジェンニーの命をお助け下さった、ということになろう。しかしマルタン・デュ・ガールはそのような単純な話を小説にする作家ではないし、無神論を押し通したこの小説家が、ここで神の奇蹟について語るはずはない。謎というのはこのことである。

フォンタナン家をプロテスタント信仰を持する家として述べてきたが、じつはその宗教は、フランスの伝統的なプロテスタンティズムとはいささか異なる傾向の宗派に属していたのである。その宗派とは、一八六六年頃アメリカ人、メアリー・ベーカー・エディが始めた「クリスチアン・サイエンティスト・ソサイエティ」というキリスト教の一派で、聖書の教えと信仰の力で病気を直すというところに特徴をもつ特殊な一派であった。グレゴリーはこの派の牧師であり、フォンタナン夫人はこの人と親しかったのである。しかし、マルタン・デュ・ガールがこのクリスチアン・サイエンスの信仰による病気治癒の実例をここに示したということも、前述したとおりあり得ることではない。果たせるかな、この小説を読んだクリスチアン・サイエンス側に、このエピソードとグレゴリーの戯画(カリカチュア)化について不満の声が起きている。では、なぜ作者はこの奇妙なエピソードに力を注いだのであろうか。また実際に、なぜジェンニーは突然回癒したのであろうか。

ジェンニーの病気は決して死にいたるような本物の病気ではなくて、何かあるきっかけさえあればたちまちに治ってしまう、急性の心身症のようなものに過ぎなかったのである。ジャックとダニエルの家出について、ジェンニーだけが前もって知らされていた。ジャックと違って、決定的に家庭を捨てる必要のなかったダニエルは、ジェンニーだけに計画を打ち明けてあったのである。そしてこれが兄に口どめされていたため、事が大騒ぎに発展するにつれ、その秘密はいとけない少女の心に恐ろしい重圧となってかぶさってきた。その出口のない抑圧が身体に病的状態を惹き起こしたのである。ジェンニーが回癒するためには、その抑圧が取り除かれなければならない。ここで母親の献身的な祈りと愛が、少女の魂にある訴えをなし、それに加えて、グレゴリー牧師の窓を開いて、暗い病室に光を入れるという処置が、一挙にジェンニーの心をも開かせたのである。この際「窓を開く」という動作が、象徴的な意味をもって効果を発揮したと考えることができる。作者は神の恩寵のことを説いているのではない。作者はここで、人間の精神と肉体との関係という、最も大切と考えるものについて語っているのである。これはかよわき精神が肉体に及ぼす猛威というものの例証になるのだが、次の巻『少年園』で私たちは、その逆の場合、つまり肉体への圧迫が精神に及ぼす病的影響の典型的なものを見ることになろう。

　謎めいたエピソードの第二のものは、ジャックとダニエルがマルセーユからトゥーロンへ歩いて行く途中で目撃する、四頭立て荷馬車の事故の話である。車の下敷になった瀕死の馬の苦しみを目のあたりにしたジャックは、ほとんど失神してへたへたと倒れてしまう。そのあと、舌をだらりと出して息絶えている一頭の馬の死に顔から、かつて死体公示所（モルグ）で見た死人の青い顔、そして「まるで生きているように」瞼をあけたまま死んでいた人間の顔を思い出す。ジャックはその印象をダニエルに語って聞かせ、いつか死体公示所に連れて行って見せてやろう、と言う。ダニエルはそんなことには関心を示さず、折から聞こえてきたピアノの音に、かわいい妹のジェンニーを想い出す……なぜこのエピソードがここで語られねばならないのだろう？　同じものを目の前にしながら、ジャックとダニエルの反応はかなり異なっている。ダニエルには暖かい家庭がある。愛情に包まれた彼の生活には、花もあれば実もある。しかし、ジャックには何もない。彼は孤独である。その孤独の苦しみを、ジャックはダニエルに向かって次のように表現する。「きみは、ぼくと育てられ方がちがっている……ぼくは自分でも手のつけられない人間だということがよくわかっている、と言って、ほかにどうともなりようがないんだ。たとえばだ、ぼくはときどき腹を立てる。と、何もかもわからなくなる。物をこわす。なぐる。聞いていられないようなことをわめき立てる。窓から飛びだすか、人をなぐり殺すことくらい平気でできそうに思われるんだ！」このような欲求不満のなかで、純粋思考型で極端へと走りやすいジャックは、死の想いにとり憑かれることがあったのに違いない。だが死ぬことは恐ろしい。この年齢にしてジャックは、死にしばしば想いを馳せ、その恐怖にとり憑かれる人間なのである（ジャックはこのことでも、生まれながらにして不条理と対峙させられた人間だったのだ）。このことは、第三部『美しい季節』で語られるもう一つの動物の惨死のエピソード、つまり車にひかれて少しずつ死んでゆく犬の悶死のエピソードを読まされたとき、明瞭に理解されるであろう。次巻『少年園』で家番のフリューリンクばあさんの死に顔に、ジャックは馬の死骸の上に見たものと同じものを見る……

マルセーユから連れ戻されたふたりの少年を迎える、二つの家庭の対処のしかたの違いは、時代と国籍とを越えて、私たちにも多くのことを考えさせてくれる。ダニエルはフォンタナン家の敷居をまたぐやいなや、もうそれだけで元の生活にすんなりと返ることができる。何の弁解も言い訳も不必要である。フォンタナン夫人は心配していた息子が帰ってくれたという喜びで、もはや何も言うことはない。ただ息子を温かいその胸に抱擁するだけで、すべては解決するのである。しかし母親の愛というものの偉大さは、なにもフランスだけのことではない。いや日本の母は、それに優るとも劣らぬ優しさの持ち主なのだから。

ジャックの場合はそうはいかない。チボー氏もまた息子のことを案じていたのは事実である。息子が帰ってくると知ったとき、彼の心は喜びと安堵にみたされたであろう。であるから、家に煌々（こうこう）と灯りをともして、彼は息子の帰還を待ったのだった。しかし彼は、いかめしく盛装してジャックを迎えることを忘れなかった。一つのけじめをつけて迎えるためである。そのけじめとは、息子の謝罪と将来への誓い、そしてそれに対する父の赦しという儀式である。であるから、ジャックはひと言詫びの言葉を述べて、父の胸に飛びついて行けばよかったのである。しかし父の厳しい姿は、それをさせてくれなかった。父は父で、よく帰ってきたというひと言を、息子に言うだけでよかったのかもしれない。そうすれば息子は泣いて謝って、父に飛びついて行っただろう。しかし父親としての沽券がチボー氏をそうさせなかった。こうして、抱き合えたはずの親子が、その一歩手前で、それぞれの我意を衝突させたままにおわるのである。この不幸な場面もまた、あながちチボー家だけに見られるものとは限らない。ここに父と男の子とのあいだに存する、むずかしい問題がある。この人間心理の微妙から生ずる永遠の問題が、言葉少なにしかも真実に描き出されている。

こうした事のはずみというものが、不幸な成り行きを招来する。ジャックは父の設立した感化院に送られることになってしまった。ここで脱出の物語は幽閉の物語に席をゆずる……

店村新次

本書は2014年刊行の『チボー家の人々 1』第26刷をもとにオンデマンド印刷・製本で製作されています。

訳者：
山内義雄
(1894 ～ 1973)
1950年「チボー家の人々」により芸術院賞受賞
訳書マルタン・デュ・ガール「ジャン・バロワ」
　「チボー家のジャック」他多数

解説者：
店村新次（たなむら　しんじ）
(1919 ～ 1991)
同志社大学名誉教授，文学博士
主著「ロジェ・マルタン・デュ・ガール研究」

白水uブックス　38

チボー家の人々　1　灰色のノート

訳　者©山内義雄（やまのうち よしお）
発行者　及川直志
発行所　株式会社白水社
東京都千代田区神田小川町 3-24
振替　00190-5-33228　〒 101-0052
電話 (03) 3291-7811（営業部）
　　 (03) 3291-7821（編集部）
www.hakusuisha.co.jp

1984 年 3 月 20 日第 1 刷発行
2020 年 12 月 5 日第 31 刷発行
表紙印刷　クリエイティブ弥那
印刷・製本　大日本印刷株式会社
Printed in Japan

ISBN978-4-560-07038-3

乱丁・落丁本は送料小社負担にてお取り替えいたします。

Roger Martin Du Gard: *Les THIBAULT*